D0620545

Le climat de travail

Un levier de changement

Luc Brunet, Ph.D.
et André Savoie, Ph.D.

Le climat de travail

Un levier de changement

Les Éditions
LOGIQUES

LOGIQUES est une maison d'édition reconnue par les organismes d'État responsables de la culture et des communications.

Nous remercions le Conseil des Arts du Canada et la Société de développement des entreprises culturelles du Québec pour leur appui à notre programme de publication.

Canadä Nous reconnaissons l'aide financière du gouvernement du Canada par l'entremise du Programme d'Aide au Développement de l'Industrie de l'Édition (PADIÉ) pour nos activités d'édition.

Révision linguistique: Monique Thouin, Hélène Léveillé, Liliane Michaud
Mise en pages: Christine Mc Lean
Graphisme de la couverture: Christian Campana
Photo de la couverture: Megapress/Jerrican, Labat M020361
Photo des auteurs: Alain Comtois

Distribution au Canada:
Québec-Livres, 2185, autoroute des Laurentides, Laval (Québec) H7S 1Z6
Téléphone: (450) 687-1210, 1 800 251-1210 • Télécopieur: (450) 687-1331

Distribution en France:
Casteilla/Chiron, 10, rue Léon-Foucault
78184 Saint-Quentin-en-Yvelyne
Téléphone: (33) 01 30 14 90 30 • Télécopieur: (33) 01 34 60 31 32

Distribution en Belgique:
Diffusion Vander, avenue des Volontaires, 321, B-1150 Bruxelles
Téléphone: (32-2) 762-9804 • Télécopieur: (32-2) 762-0662

Distribution en Suisse:
Diffusion Transat s.a., route des Jeunes, 4 ter, C.P. 1210, 1211 Genève 26
Téléphone: (022) 342-7740 • Télécopieur: (022) 343-4646

Les Éditions LOGIQUES
7, chemin Bates, Outremont (Québec) H2V 1A6
Téléphone: (514) 270-0208 • Télécopieur: (514) 270-3515

LE CLIMAT DE TRAVAIL

© Les Éditions LOGIQUES inc., 1999
Dépôt légal: Troisième trimestre 1999
Bibliothèque nationale du Québec
Bibliothèque nationale du Canada

ISBN 2-89381-476-X
LX-590

Sommaire

Préface

Dans les représentations communes, les variations du climat de travail paraissent généralement aussi impondérables que les fluctuations climatiques, métaphore qui laisse percer l'approximation des attributs: chaud ou froid, agréable ou pénible, bref, bon ou mauvais. Cette évaluation à forte teneur affective suggère un objet peu saisissable, encore moins quantifiable, aux composantes floues, voire inconnues. Par opposition, les auteurs Luc Brunet et André Savoie nous proposent une démarche claire et bien ordonnée: définition, description typologique, aspects dynamiques des facteurs en jeu, techniques de mesure, méthode de consultation et stratégies de changement. C'est dire le chemin parcouru pour passer d'un sentiment de fatalisme à une gestion planifiée qui prend en compte le climat organisationnel.

Car le problème de départ est bien là: à défaut de connaître les processus et de savoir comment s'y prendre pour infléchir le climat de travail, celui-ci est considéré par facilité comme un phénomène aléatoire sur lequel personne n'a vraiment prise, sauf à jouer les apprentis sorciers avec les risques que cela entraîne. Face à cela, le défi de cet ouvrage consiste à montrer que l'organisation du travail ne se résume pas à une somme de techniques, et que le climat est une dimension essentielle à gérer, et non seulement à supporter. Mais encore faut-il s'en donner les moyens: saisir les facteurs qui contribuent à l'obtention des phénomènes, savoir les mesurer, et développer des méthodes d'intervention permettant de conduire un changement de climat d'organisation sans provoquer des effets inverses à ceux souhaités. Tel est donc le propos, qui vise à montrer que la psychologie du travail et des organisations est capable de traiter cette face trop méconnue de l'organisation et d'aider les gestionnaires à considérer que s'occuper du climat n'est pas un luxe superflu ou inaccessible mais permet de se placer au cœur même de la vie sociale des entreprises.

Dès le départ, la définition traite le climat non comme une somme d'éléments juxtaposés et indépendants provenant des caractéristiques du milieu et des individus, mais, en référence au modèle de K. Lewin, comme leur interaction même. Étant donné que l'ensemble repose sur l'appréciation de ces éléments en interaction par les individus en présence, la définition du climat correspond à une perception partagée de cet ensemble. La façon de se sentir traité devient ainsi une composante essentielle. Cette définition a notamment l'avantage de rendre valide l'utilisation des questionnaires, outils de mesure du climat adaptés pour permettre l'expression de ces représentations. Les auteurs, passant en revue la littérature, font ressortir deux grandes formes de typologie du climat, l'une plus centrée sur la perception des éléments structuraux liés au style de direction, allant de fermé (autoritaire) à ouvert (consultatif et participatif), l'autre, plus sensible aux aspects affectifs synthétisables sur un axe méfiance-confiance.

Mais le descriptif des typologies laissant toujours une impression d'arbitraire, le lecteur est convié à pousser plus loin l'analyse et à entrer dans la dynamique même de la constitution du climat. Ses déterminants, ses constituants et ses effets résultants sont traités méthodiquement. Parmi les premiers, on note, par exemple, la structure et la culture organisationnelles, les types de règlements, le système de sanctions, le mode de leadership. Les variables résultantes sont nombreuses, ce qui justifie pleinement l'attention portée à la gestion du climat. Elles concernent aussi bien l'acceptation ou non du changement, la prévention des actes antisociaux, la santé, le stress et la sécurité au travail, la question de l'absentéisme, la réussite du transfert des actions de formation dans le travail, l'implication et la satisfaction des salariés.

Le chapitre 3 propose une vue panoramique de 11 questionnaires qui visent tous à repérer les composantes du climat afin d'établir un diagnostic à partir des perceptions et des appréciations des différents acteurs du système. Si on reprend la métaphore météorologique, il s'agit ici de s'intéresser aux instruments permettant de mesurer la «température» et de prévoir l'évolution du temps. Mais à la différence du thermomètre et du baromètre, on se trouve en présence d'un double problème: il faut d'une part définir les constituants du climat, c'est-à-dire les paramètres constitutifs de la mesure, et d'autre part tenir compte du fait qu'on travaille sur des représentations et des appréciations relatives aux perceptions partagées par les différents partenaires sollicités. Il ne suffit donc pas d'avoir un instrument, encore faut-il savoir l'utiliser, ce qui conduit à se pencher sur les conditions de passation, trop souvent délaissées dans la littérature internationale, alors qu'elles sont déterminantes pour l'obtention des résultats et pour leur validité, non pas statistique mais proprement psychologique. C'est en ce sens que la méthodologie de consultation est au moins aussi importante que la construction de l'instrument de mesure lui-même.

C'est pourquoi il est particulièrement intéressant et formateur pour le lecteur de découvrir le chapitre 4 qui propose une méthode de consultation, c'est-à-dire d'implantation d'un instrument de mesure dans un terrain social. Il faudra s'y assurer de l'accord des différents pôles ou parties en présence, direction et salariés, de l'indispensable information sur les objectifs réels et

11

sur les étapes de la procédure, et de la mise en place de lieux et de temps d'échange et de concertation tout au long du processus, allant du prélèvement des informations auprès des personnes concernées à la présentation des résultats à l'ensemble des intéressés, dans une perspective longitudinale, seule susceptible de faciliter le changement.

La présentation de deux cas de consultation en milieu éducatif à partir des rapports d'évaluation du climat organisationnel aide à montrer concrètement les étapes et les conditions de réussite d'une consultation. Il est alors possible, dans le chapitre 5, de dresser différentes stratégies de modification du climat organisationnel et de suivre les différentes phases d'une intervention en situation.

On est ainsi invité à découvrir un véritable guide théorique de la pratique psychologique en milieu organisationnel. Il permet de considérer que le climat de travail n'est pas seulement une donnée établie, produit de multiples facteurs qui dépassent chacun des acteurs individuels, mais qu'il peut devenir le fruit d'une construction sociale concertée.

Il reste, pour ouvrir le débat, qu'il faut encore se demander quelles conditions doivent exister au préalable dans l'organisation pour qu'une consultation de ce type puisse seulement s'implanter, avant même de réussir. On peut penser que son implantation en elle-même est déjà une réussite pour le psychologue du travail qui a su la négocier, et un gage de succès pour l'organisation qui a choisi la bonne méthode, alors qu'on sait qu'elle ne peut être rentable en trois jours. Mais n'est-il pas nécessaire de se donner les moyens de ses objectifs?

Claude Lemoine
Professeur de psychologie à l'Université de Rouen (France),
directeur du laboratoire Psychologie des régulations
individuelles et sociales (P.R.I.S.), président de
l'Association internationale de psychologie du
travail de langue française (A.I.P.T.L.F.)
Courriel: Claude.Lemoine@epeire.univ-rouen.fr

Chapitre 1

Nature et typologies du climat de travail

Apparu formellement au cours des années 60, le concept du climat organisationnel est relativement nouveau en psychologie du travail et des organisations. Et comme tout concept récent en sciences humaines et sociales, sa définition et son opérationnalisation varient souvent en fonction des objectifs des chercheurs. Cette diversité, peut-être même plus accentuée encore, se rencontre chez les praticiens et utilisateurs de ce concept, de sa mesure et de ses applications.

Pourtant, il existe au moins un postulat sur lequel s'entendent chercheurs et praticiens de tout acabit, et ce, chose surprenante, en ce qui a trait à la nature et à la fonction du climat de travail. À cet égard, nous sommes redevables à Kurt Lewin (1951), qui a formulé un postulat intégrateur alors qu'il cherchait un modèle simple pour étudier, expliquer et modifier la conduite individuelle. La formule, aussi célèbre en sciences humaines que celle d'Einstein en sciences physiques, postule que le comportement individuel (C) est fonction de la personnalité (P) de l'individu en interaction avec l'environnement (E) dans lequel il se trouve.

$$C = f (P \times E)$$

Cela signifie que l'individu aura tendance à se comporter différemment selon qu'il joue une partie de hockey, qu'il assiste à une cérémonie religieuse ou qu'il aide ses enfants à faire leurs devoirs. Par contre, la formule suggère que, dans tous ces environnements distincts, certains comportements se maintiendront parce qu'ils sont tributaires de la personnalité: par exemple l'impatience chronique, l'attention aux autres, etc.

La formule de Lewin, $C = f (P \times E)$, place sans conteste le climat de travail en tant que composante du E et ouvre une voie de solution à la préoccupation suivante, cruciale pour toute organisation: la réduction de la variabilité des conduites individuelles en schéma prévisible de comportements. Comment faire émerger un minimum de conduites compatibles collectivement chez des individus foncièrement différents? Les solutions de convergence proviennent nécessairement de E commun à l'ensemble des individus cibles.

En modifiant le E, il est théoriquement possible de modifier dans un sens donné les comportements (C) de la majorité des individus vivant sous l'emprise de E. Ainsi, le climat de travail se présente comme une des voies privilégiées pour changer les comportements au travail d'un groupe d'individus. Évidemment, le changement de conduite individuelle (C) variera d'un individu à l'autre, car le facteur personnalité (P) modulera l'impact de l'environnement (E), mais dans l'ensemble, les nouveaux comportements iront plus ou moins dans le même sens. C'est ce qu'implique la formule $C = f (P \times E)$ lorsque analysée sous l'angle organisationnel.

La même formule, décodée sous l'angle individuel, laisse apparaître des caractéristiques elles aussi inusitées. D'une part, la personnalité (P) est un déterminant du comportement individuel (C) tout aussi puissant, sinon plus, que l'environnement (E) ou à tout le moins beaucoup plus permanent que ne le sont les environnements, qui changent au gré des migrations de l'individu. D'autre part, advenant un affrontement entre l'environnement et la personnalité, bien malin sera celui qui pourra prédire le gagnant, comme en témoignent les prisonniers des camps de concentration qui ont résisté jusqu'à la mort ou ceux qui se sont ralliés rapidement du côté des tortionnaires. Ainsi, il apparaît que, quel que soit l'environnement dominant, la personnalité peut jouer le rôle de l'arbitre ultime quant à savoir si le comportement individuel suivra ou non les pressions/incitations de l'environnement. Par contre, des conduites similaires observées chez plusieurs individus œuvrant dans le même environnement laissent présumer une influence commune de l'environnement, nonobstant les personnalités différentes de ces individus.

Ainsi, la prédiction du comportement individuel basée strictement sur les caractéristiques personnelles s'avère insuffisante et amène à se rabattre sur l'environnement pour comprendre les conduites individuelles présentes simultanément chez plusieurs individus. Il s'ensuit que, en pratique, la façon dont un individu se comporte au travail dépend plus ou moins de ses caractéristiques personnelles et plus ou moins de la façon dont il perçoit son environnement. Par exemple, si les membres du personnel d'une usine perçoivent le climat comme menaçant, ils seront portés à adopter des comportements de défense pour essayer de se soustraire à cette tension. L'attitude défensive individuelle mise en place dépendra du degré de méfiance et de fragilité à la peur de chacun, mais tous les individus seront plus ou moins défensifs.

Dans ce livre, nous mettons l'accent sur le E de l'équation $C = f(P \times E)$ et le E (environnement) sera assimilé au climat de travail.

1. Nature du concept de climat de travail

D'où vient ce concept de climat organisationnel? La racine grecque du mot *climat* signifie «pente» ou «inclinaison». Ce concept fut introduit pour la première fois en psychologie du travail et des organisations en 1960 par Gellerman. Sa conception référait métaphoriquement aux conditions météorologiques et à la température physique et, socialement, à l'atmosphère prévalant dans un milieu donné. Dès le départ, bien que fort identifié au E de l'équation $C = f (P \times E)$, le climat est un concept moins général et moins vaste que celui d'environnement, même interne, dont il fait d'ailleurs partie.

1.1 Caractéristiques formelles du concept

Bertrand et Guillemet (1989) proposent une synthèse des caractéristiques principales du climat organisationnel en six volets:

1. C'est une configuration particulière et stable d'un certain nombre de variables situationnelles.
2. Il est déterminé par les caractéristiques, les comportements et les attentes des personnes engagées dans des relations interpersonnelles, et par les réalités sociologiques et culturelles de l'organisation.
3. Il est fondé sur la nature et les composantes de la réalité organisationnelle telles que perçues par les acteurs qui les vivent et qui peuvent les renforcer.
4. Il peut être difficile à décrire et faire partie de l'univers inconscient des membres de l'organisation.
5. Il détermine directement les comportements des acteurs de l'organisation par son action sur les attitudes et les comportements de ces derniers.
6. Il est souvent rattaché au concept de culture organisationnelle.

Dans la documentation, sept autres caractéristiques générales du climat ont été mises en évidence, entre autres par Ekvall (1987) et par Fitzgerald et Shullman (1993).

1. Présence d'une continuité dans le temps malgré les changements éventuellement subis.
2. C'est une perception ou une interprétation d'expériences par les individus.
3. C'est une perception commune de la réalité partagée et acceptée en milieu de travail.

4. Il est à la fois externe (plan concret) et interne (plan cognitif).
5. Il est connu comme un facteur ou un prédicteur de comportements des acteurs dans l'organisation.
6. Il distingue les organisations entre elles.
7. Le climat réfère aux variables écologiques, organisationnelles, structurelles et relationnelles du contexte de l'emploi, par opposition aux variables ou caractéristiques individuelles.

1.2 Essai de définition

La mise en évidence des propriétés formelles de ce concept, quelque informatrice qu'elle soit, ne nous est pas vraiment utile sur le plan conceptuel et dans une perspective d'application opérationnelle. Bien que la signification définitive du concept de climat ne soit pas encore établie, une certaine conception s'impose graduellement auprès des chercheurs et praticiens. *Le climat équivaudrait aux attributs organisationnels, objectifs perçus de façon comparable par les membres d'une unité administrative donnée et qui influenceraient leurs comportements organisationnels.* Voyons un à un les éléments de cette protodéfinition.

Attributs organisationnels...

Moxnes et Eilertsen (1991) considèrent que le climat est la perception multidimensionnelle des attributs essentiels de l'environnement organisationnel, tels que la communication, le leadership et les conflits interpersonnels. Reichers et Schneider (1990) statuent que le climat est la résultante d'une perception partagée à l'égard des politiques, des procédures et des pratiques organisationnelles, qu'elles soient formelles ou informelles. Cette vision est aussi celle de Schnake (1983), pour qui le climat est une réponse descriptive de la réalité vécue (politiques, pratiques et conditions de travail). Les politiques, les arrangements et les stratégies élaborés par l'entreprise sont perçus par l'employé, qui les observe, les vit et agit en fonction d'eux. Le climat référerait au système de régulation en fonction dans l'entreprise, plus précisément aux contingences entre les comportements et les résultats organisationnels (Naylor *et al.*, 1980). Le climat organisationnel apparaît dans les descriptions que font les employés des politiques, pratiques, conditions prévalant dans l'environnement du travail (Ekvall, 1987). Il représente les perceptions des membres individuels à propos des conditions, des facteurs et des événements qui se déroulent dans l'organisation et avec lesquels les acteurs transigent quotidiennement. Pool (1985, voir Hoy et Miskel, 1996) mentionne que le climat organisationnel décrit et non pas évalue une organisation, qu'il émerge des pratiques organisationnelles importantes aux yeux de ses membres, dont il influence les comportements et les attitudes. Ainsi, même si les définitions varient quant aux attributs en jeu dans la perception du climat de travail, il y a consensus à l'effet qu'il s'agit de propriétés ou attributs organisationnels.

Le climat est surtout la voie idéale pour identifier ce qui, dans la myriade d'éléments composant l'environnement de travail des employés, constitue les éléments psychologiquement significatifs qui influeront sur leurs comportements (Payne et Pugh, 1976).

perçus...

Pour Rousseau (1988), le climat est une description individuelle issue d'une perception de l'environnement social et du contexte dans lequel l'individu agit et réagit. Une des définitions du climat les plus utilisées (Al-Shammari, 1992) est celle de Litwin et Stringer, 1968: «... un ensemble de propriétés mesurables de l'environnement de travail, perçues directement ou indirectement par les personnes qui vivent et travaillent dans cet environnement et qui sont supposées influencer leur motivation et leur comportement». Kandan (1985) définit le climat comme la qualité perçue de l'environnement organisationnel. Selon Litwin et Stringer (1968), le climat organisationnel est la perception que les membres ont des caractéristiques de leurs unités de travail. Il s'agit d'une perception synthétique ou sommaire, d'une carte cognitive de l'organisation issue de l'addition des expériences des membres et/ou de leur compréhension de celles des autres (Joyce et Slocum, 1979; Al-Shammari, 1992). Embrassant la totalité du contexte organisationnel, Hellriegel et Slocum (1974) considèrent le climat comme un tas d'attributs qui peut être perçu au sujet d'une organisation particulière et/ou de ses sous-systèmes, et qui peut être induit par la manière dont cette organisation et/ou ses sous-systèmes interagissent avec leurs membres et l'environnement. Le climat est la voie par laquelle les membres d'une organisation font l'expérience de cette qualité de l'environnement de travail (Moxnes et Eilertsen, 1991). Ainsi, le climat devient la perception traduisant l'image cognitive des individus à l'égard du lieu de travail (Brunet, 1987).

Il existe une polémique relativement grande quant à la clarté de la saisie des composantes du climat organisationnel. En effet, le climat d'une organisation peut être ressenti par un individu sans que ce dernier soit nécessairement conscient du rôle et de l'existence des facteurs qui le composent; dans cette perspective, il serait ainsi difficile de mesurer ce climat. Par contre, lorsqu'on interroge les employés sur la composition du climat de travail, on ne peut que constater la remarquable similitude des perceptions en ce qui concerne ses dimensions saillantes. Toutefois, les chercheurs dans ce domaine ne s'accordent pas encore sur la composition définitive du climat organisationnel (Brunet, 1987).

Jorde-Bloom (1988) insiste sur le caractère interprétatif de cette lecture des événements vécus dans un milieu de travail. Il met en exergue la possibilité d'un décalage entre la réalité objective et la perception de cette réalité, s'inscrivant de ce fait à son insu dans la perspective perceptuelle de Lewin (1951), selon qui l'être humain réagit davantage à sa perception de la réalité qu'à la réalité elle-même; ainsi, la perception constitue le processus clé par lequel les éléments de la conscience se structurent en une forme significative qui détermine le comportement de la personne. Cette caractéristique a été reprise par Brunet (1987), pour qui une situation acquiert une importance donnée en fonction de ce qu'elle représente pour les individus qui la vivent, de sorte que la perception du climat peut être plus importante que la réalité objective.

de façon comparable...

Le climat a été conceptualisé comme une synthèse des perceptions partagées concernant le système de régulation en fonction dans l'entreprise (Naylor *et al.*, 1980). Le climat de travail serait perçu de façon relativement homogène chez la majorité des membres d'une même unité de travail. Il y aurait un accord interjuges sur les descripteurs et leurs contenus à propos du vécu commun dans l'organisation (Brunet, 1987). C'est la perception qu'une personne élabore à partir de ses multiples expériences en milieu de travail et qu'elle partage avec la majorité des membres du groupe ou de l'organisation. La perception partagée du vécu réel au travail, voilà les mots clés dans l'étude du climat. C'est un construit organisationnel qui traduit une description des expériences organisationnelles collectives vécues par chacun et partagées par ses collègues (Brunet, 1987).

par les membres d'une même entité administrative...

Le climat perçu par un groupe de travailleurs dans un département ou dans une unité donnée peut donc être différent de celui qui est vécu par d'autres employés œuvrant dans d'autres départements ou unités. Ainsi, dans une même organisation, des employés peuvent percevoir le climat de leur département comme exécrable alors que les autres travailleurs de l'entreprise perçoivent leur climat respectif de façon plus positive. Les membres d'une organisation vont d'abord se référer aux perceptions qu'ils ont de leur milieu de travail immédiat pour décrire leur climat.

et qui influencent leurs comportements

Le climat est une qualité relativement importante de l'environnement interne de l'organisation, qualité qui est vécue par ses membres, qui influence leur comportement et qui peut être décrite en termes de valeurs d'un ensemble particulier de caractéristiques de l'organisation (Taguiri, 1968). À part des réserves majeures sur la notion de valeurs, à laquelle on a substitué les termes de *perceptions descriptives*, la définition de Taguiri sera reprise par les chercheurs préoccupés par la dimension environnementale du construit. Une grande partie du chapitre 2 dissèque les effets du climat sur les conduites collectives.

Ainsi, le climat de travail se définit comme une série de caractéristiques: a) qui sont perçues à propos d'une organisation et/ou de ses unités (départements); b) et qui peuvent être induites de la façon dont l'organisation et/ou ses unités (départements) agissent (consciemment ou inconsciemment) envers leurs membres et envers la société; c) et qui influencent leurs conduites. Le tableau 1 présente les caractéristiques propres au concept de climat selon Taguiri (1968).

Le climat organisationnel serait donc un construit théorique représentant des abstractions déterminées par l'analyse des variables dérivées et conceptualisées comme des propriétés des organisations. Ces propriétés seraient générées par des modèles, des composantes et des éléments des systèmes sociaux qui ont des effets sur l'expérience et le comportement de leurs membres en termes d'accomplissement formel (Sells et James, 1988).

Le climat constitue une donnée réelle de toute organisation. Comme l'écrit Doak (1970), «le climat organisationnel existe toujours… il est bon ou mauvais, ouvert ou fermé, supportant ou non, autoritaire ou démocratique, probablement plus souvent ambivalent».

Roy (1994) définit le climat comme un construit qui nécessite un certain consensus ou un accord de perceptions sur les pratiques et les réalités vécues de façon constante au sein d'une

Tableau 1.   **Caractéristiques du concept du climat organisationnel selon Taguiri (1968)**

- Le climat est un concept molaire et synthétique comme la personnalité.

- Le climat est une configuration particulière des variables situationnelles.

- Ses éléments composites peuvent varier, quoique le climat puisse demeurer le même.

- Le climat a une connotation de continuité mais pas de façon aussi permanente que la culture, de telle façon qu'il peut changer à la suite d'une intervention particulière.

- Le climat est déterminé en majeure partie par les caractéristiques, les conduites, les aptitudes, les attentes des autres personnes, ainsi que par les réalités sociologiques et culturelles de l'organisation.

- Le climat est phénoménologiquement extérieur à l'individu, qui par contre peut se sentir comme un agent contribuant à sa nature.

- Le climat est phénoménologiquement distinct de la tâche, de telle sorte que l'on peut observer des climats perçus différemment chez des individus effectuant une même tâche.

- Le climat est basé sur des caractéristiques de la réalité externe telle que perçue par l'observateur ou l'acteur (la perception n'est pas toujours consciente).

- Le climat peut être difficile à décrire en mots, quoique ses résultats puissent être facilement répertoriés.

- Le climat a des conséquences sur le comportement.

- Le climat est un déterminant direct du comportement puisqu'il agit sur les attitudes et les attentes, qui sont des déterminants directs du comportement.

---

unité de travail donnée. Sa définition est basée sur les approches conceptuelles et structurelles. C'est cette définition qui sous-tend la synthèse présentée dans cet ouvrage, car elle reprend les grands éléments de description, d'environnement de travail, de caractéristique et de perception que plus d'un auteur ont proposés.

> «Le climat est une caractéristique de l'organisation qui décrit la relation entre les acteurs et l'organisation telle que mesurée par la perception que se font la majorité des acteurs de la façon dont ils sont traités et gérés» (Roy, 1984, p. 34).

Roy (1994) mentionne que les conséquences du climat n'ont pas à être incluses dans la définition puisque les effets sont des variables dépendantes pour toutes les recherches empiriques sur le climat de travail.

1.3 Confusion et polémiques

La définition du climat que nous retenons dans cet ouvrage s'inscrit dans le paradigme de la mesure perceptive des attributs organisationnels (James et Jones, 1976). Il serait peu honnête de ne pas faire état des autres approches qui ont marqué l'évolution de ce concept au cours des années et qui se sont traduits et parfois se traduisent encore par des polémiques substantielles.

Les grands débats se situent d'une part sur le plan de la confusion entre les concepts de climat et les notions plus ou moins parentes de culture, de satisfaction, de leadership. Cette confusion appelle à des clarifications terminologiques.

Également, on ne pourra passer sous silence la continuelle confusion qui existe entre les déterminants (causes), les composantes, les résultantes (effets) du climat de travail.

1.3.1 Clarifications terminologiques et méthodologiques

On confond souvent le climat de travail avec la notion de culture, de leadership, de satisfaction au travail et même de structure organisationnelle. Une partie de cette confusion s'explique par l'approche méthodologique retenue dans l'étude du climat de travail.

Il apparaît clairement dans la documentation consultée que les chercheurs ont préféré disserter sur l'aspect méthodologique de la recherche sur le climat plutôt que de produire une définition conceptuelle du climat. James et Jones (1974, 1976) ont très bien documenté cette problématique en déterminant des modes de recherche sur le climat, lesquels ont conduit à des acceptations différentes du climat organisationnel et, à notre avis, à une malencontreuse confusion, d'une part entre le climat et la structure, et d'autre part entre climat et satisfaction. Ce sont: la mesure multiple des attributs organisationnels, la mesure perceptive des attributs individuels et la mesure perceptive des attributs organisationnels.

- La mesure multiple des attributs organisationnels:
  climat = structure organisationnelle

La mesure multiple des attributs organisationnels considère le climat comme un ensemble de caractéristiques qui: a) décrivent une organisation et la distinguent des autres par ses produits fabriqués ou ses services offerts, son orientation économique, son organigramme, etc.; b) sont relativement stables dans le temps; c) influencent le comportement des individus dans l'organisation. Sous ce vocable apparaît un regroupement objectif des attributs organisationnels qui sont, en fait, une représentation de la nature structurelle de l'organisation. Le climat devient donc, à tort, synonyme de structure de l'organisation. Dans cette approche, on se limite généralement à l'étude de la relation qui existe entre la taille d'une entreprise et le comportement de ses employés, tels le taux de roulement, l'absentéisme et le nombre d'accidents.

- La mesure perceptive des attributs individuels:
  climat = satisfaction

Les principaux défenseurs de cette thèse définissent le climat comme un élément individuel lié aux valeurs et aux besoins des individus plutôt qu'aux caractéristiques de l'organisation. Parmi les auteurs qui ont formulé des définitions s'inscrivant dans cette école de pensée, on retrouve Jorde-Bloom (1988), pour qui le climat comprend les perceptions collectives, les attitudes, les croyances et les valeurs des individus dans un environnement de travail particulier. Dans cette perspective, plus les besoins supérieurs de l'individu seraient satisfaits, plus le climat serait positif (Kandan, 1985). Quitte à encourir des accusations de simplification indue, on pourrait avancer que la mesure perceptive des attributs individuels est surtout préoccupée par la satisfaction des acteurs. Dans cet ordre d'idées, le climat devient synonyme d'opinions personnelles et de réactions, et cet aspect inférentiel du climat est surtout causé par une utilisation déficiente des instruments de mesure qui, bien souvent, sont d'anciens questionnaires servant à mesurer la satisfaction.

Certains auteurs confondent quelquefois climat psychologique et climat organisationnel. La notion de climat psychologique s'apparente beaucoup plus à celle de la satisfaction au travail en ce sens qu'elle réfère à l'évaluation des conditions dans lesquelles un individu effectue son travail, ainsi que le degré avec lequel ces mêmes conditions satisfont ses besoins et ses attentes de l'individu. Par contre, il faut se rappeler que le climat organisationnel concerne l'organisation et décrit les conditions qui existent dans le cadre de travail selon les perceptions collectives des travailleurs. Malgré tout, il est possible de faire une nette distinction entre le climat organisationnel et la satisfaction au travail. Le climat est lié aux perceptions directes du travail ou de la situation organisationnelle alors que la satisfaction implique une évaluation des conditions de travail ou de l'organisation. La satisfaction représente donc la résultante affective de la perception individuelle. La distinction entre le concept de climat et celui de la satisfaction se situe ainsi à trois degrés:

1. Le degré d'abstraction utilisé: le climat organisationnel porte sur des macroperceptions de l'environnement de travail tandis que la satisfaction porte sur des micro-perceptions.

2. Le degré de préhension impliqué: la mesure du climat est une description tandis que la mesure de la satisfaction est une évaluation affective.

3. Le degré d'analyse impliqué: dans le climat organisationnel, c'est l'organisation en tant qu'entité qui constitue l'unité d'analyse tandis que, dans la satisfaction, c'est l'individu en tant que tel.

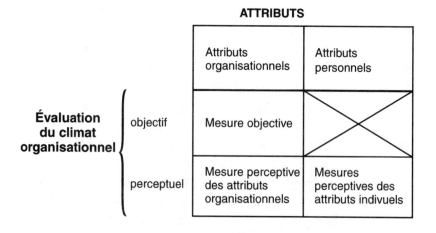

Figure 1. **Clarifications terminologiques et méthodologiques**

- Mesure perceptive des attributs organisationnels *Climat*

La mesure perceptive des attributs organisationnels est l'approche la plus utilisée chez les chercheurs: non seulement elle est relativement facile d'application mais surtout elle respecte bien la théorie de Lewin (1951), qui postule l'influence conjointe de l'environnement et de la personnalité dans la détermination du comportement individuel.

Avec la mesure perceptive des attributs organisationnels, le climat est défini comme une série de caractéristiques: a) qui sont perçues à propos d'une organisation et/ou de ses unités (départements); b) qui peuvent être induites selon la façon dont l'organisation et/ou ses unités (départements) agissent (consciemment ou inconsciemment) envers leurs membres et envers la société; c) et qui influencent les conduites des membres de l'organisation.

L'aspect perceptuel inclus dans cette définition est d'une extrême importance. En effet, la perception du climat organisationnel est fonction des caractéristiques de celui qui perçoit, des caractéristiques de l'organisation et de l'interaction de ces deux éléments. Le climat manifeste de façon expérientielle le soutien donné à une activité par l'organisation, son acceptation comme un fait intégré de la vie organisationnelle et sa relation avec les buts et les aspirations des individus dans l'organisation aussi bien que les buts et les objectifs de l'organisation elle-même. C'est par l'analyse de ces perceptions qu'on peut inférer la relation entre les caractéristiques propres à l'entreprise et le rendement qu'elle obtient de ses employés. En formant ses perceptions du climat, l'individu agit comme un filtre d'informations, lesquelles proviennent: a) des événements qui surviennent autour de lui, des caractéristiques de son organisation; et b) de ses caractéristiques personnelles.

Les instruments de mesure les plus souvent utilisés dans cette approche sont les questionnaires, car ils correspondent à la nature multidimensionnelle et perceptive du climat. Par leurs dimensions, ces questionnaires couvrent des variables humaines, structurales, reliées à la tâche et technologiques. On peut cependant critiquer le fait que la plupart des chercheurs n'ont pas spécifié le rôle joué par l'environnement externe, l'économie du marché ou les interactions possibles de ces variables sur les perceptions individuelles du climat.

Ainsi, il est possible de déterminer deux aspects importants dans l'étude du climat. Un premier aspect concerne le climat organisationnel en tant qu'une série de caractéristiques, relativement stables dans le temps, qui décrivent une organisation et qui la distinguent des autres; qui influencent le comportement des employés. Un deuxième aspect porte sur le fait que le climat émerge des systèmes et des procédures comme le style de gestion, les politiques organisationnelles et les procédures générales de fonctionnement perçus par les employés.

- Climat = culture organisationnelle?

Deux autres confusions largement répandues portent sur l'assimilation du climat à la culture organisationnelle ou encore au leadership. Selon Hoy et Miskel (1996), bien que les notions de climat et de culture puissent se recouper, il existe quand même une différence importante entre les deux. La culture consiste dans les valeurs et les normes partagées par les membres d'une organisation tandis que le climat porte sur les perceptions partagées par les employés. Toutefois, l'omniprésente confusion entre culture et climat organisationnels nécessite d'exposer en détail ce qu'est la culture de l'organisation.

Les principales écoles de pensée dominant la recherche théorique en culture organisationnelle, à savoir les écoles symbolique, cognitive, structuro-fondamentaliste, évoquent des niveaux d'appréhension distincts du concept auxquels sont appariées des composantes spécifiques. Ainsi, il apparaît que la culture de l'entreprise correspond aux significations et interprétations partagées ou bien aux cognitions partagées ou encore aux artefacts manifestant et véhiculant cette culture. En d'autres termes, la culture de l'organisation équivaut à ce que les membres d'une organisation «tiennent collectivement pour acquis» et à leur façon commune d'interpréter la réalité, ou bien à leur manière similaire de percevoir les événements, ou encore au schéma comportemental homogène qui émerge de leurs interactions. Et de cette communalité sont censées découler l'identité persistante de l'organisation à travers le temps de même que sa personnalité distinctive en tant que corps social, en autant que cette culture soit forte et partagée, c'est-à-dire qu'il y ait une substantielle adhésion de la majorité des membres de l'organisation.

Schein (1985) propose une typologie à trois niveaux permettant d'ordonner des composantes de la culture organisationnelle sur un double gradient composé de leur accessibilité aux porteurs de culture et de la spécificité de leur signification pour des observateurs externes. Il s'agit des niveaux inconscient, conscient et manifeste.

Le niveau inconscient

Le niveau inconscient contient des composantes qui se doivent d'être décryptées pour être comprises mais non pas pour être opérantes chez les porteurs de culture. C'est à ce niveau que se situe l'école symbolique, pour laquelle la culture se découvre dans les produits de la pensée, c'est-à-dire dans les significations et réflexions partagées par les acteurs sociaux. Ces symboles ne sont toutefois accessibles que par une démarche d'élucidation et d'interprétation, laquelle met en lumière des postulats implicites à une culture organisationnelle donnée. Selon Schein (1985), ces postulats «développés par les membres d'un groupe confrontés à des problèmes d'adaptation externe et/ou d'intégration interne ont fonctionné suffisamment bien pour en être considérés valides et transmissibles aux nouveaux membres». Ces postulats viennent avec le temps à agir à l'insu des membres et s'assimilent à «l'image tenue pour acquise» que les membres se font de leur organisation et de son environnement.

29

À ce titre, le système symbolique échappe à la saisie immédiate et ne peut être appréhendé que par un processus interprétatif. Dans une perspective de vérification/falsification empirique en milieu de travail, l'approche symbolique est difficile à utiliser, à l'échelle d'une organisation, étant donné que l'extirpation des significations (inconscientes) nécessite de longues entrevues en profondeur auprès d'acteurs soigneusement sélectionnés.

Le niveau conscient

Au second niveau, cognitif celui-là, les composantes de la culture sont disponibles spontanément, ou sous légère stimulation, à la conscience des porteurs de culture. La culture organisationnelle apparaît comme un système de valeurs, de croyances, de normes, de règles agissant à la manière d'un mécanisme de contrôle pour la gouverne du comportement (Geertz, 1973).

Dans l'ensemble englobant qu'est l'idéologie, on retrouve les valeurs et les croyances, qui génèrent à leur tour les normes. La *valeur* est la notion qui reçoit le plus de suffrages comme composante centrale de la culture organisationnelle (Chagnon et Savoie, 1987). Les valeurs apportent une signification aux actions sociales et des référents aux conduites sociales (Allaire et Firsirotu, 1984). Elles ont un apport incitatif, car elles constituent l'expression d'une préférence ou d'une exhortation, qu'elles soient de type transcendantal ou pragmatique (Katz et Kahn, 1978). Dans la première catégorie, Bate (1984) localise les valeurs qui incarnent la moralité ou la conscience collective de l'organisation, qui déterminent les principes de conduite acceptés, c'est-à-dire, les définitions (partagées) de ce qui est le vrai et le faux, le désirable et l'indésirable, le légitime et l'illégitime. «Une honnête journée de travail» représente une telle valeur transcendantale. Quant aux valeurs pragmatiques, elles définissent, selon Deal et Kennedy (1982), le succès en termes concrets pour les employés et établissent, du même coup, les standards d'accomplissement dans l'organisation. «Le client a toujours raison» peut illustrer ce type de valeurs.

Nombre d'auteurs (Sathe, 1983; Turnstall, 1983; Kets de Vries et Miller, 1984; Harris, 1981; Schall, 1983) insistent sur le rôle primordial des *croyances* dans le développement et le maintien de la culture d'une organisation. Techniquement, les croyances consistent en un objet auquel on accole un attribut, par exemple, «les travailleurs sont généralement honnêtes». Elles originent soit d'observations personnelles, soit d'inférences, soit d'informations externes. L'intensité avec laquelle l'individu ou le groupe associe l'attribut à l'objet constitue la force de la croyance.

Quant à *l'idéologie* organisationnelle, elle est constituée de l'ensemble dominant des idées interreliées (valeurs et croyances) expliquant aux membres de l'organisation pourquoi les compré-hensions qu'ils partagent ont un sens (Sathe, 1983). Par exemple, «faire les choses vite et bien (valeur) est essentiel au maintien de notre compétitivité» (croyance). L'idéologie de l'entreprise défend toujours la justesse des arrangements sociaux (présents ou futurs) et les actions qui en découlent, que cette idéologie émane de la mission même de l'organisation ou qu'elle constitue une rationalisation de comportements superstitieux (Schein, 1985).

Référant à des comportements attendus, les *normes* ont une nette connotation d'obligation équivalant à des «règles non écrites qui précisent ce que les personnes doivent et ne doivent pas faire ou être» (Josefowitz, 1980; voir Schall, 1983). Katz et Kahn (1978) définissent la notion de norme à partir de trois critères: 1) pré-sence d'une croyance relative au comportement approprié et requis; 2) partage de cette croyance par la majorité des membres de l'organisation; 3) conscience d'un soutien majoritaire à l'en-droit de cette croyance même chez ceux qui ne la partagent pas.

Selon les tenants de l'école cognitive, la culture organisa-tionnelle est, au premier chef, un système de connaissances, de normes, de croyances pour interagir et se comporter dans l'or-ganisation. De façon évidente, les données caractérisant la cul-ture organisationnelle d'une entreprise sont accessibles à la conscience des porteurs de culture, quoique, dans certains cas, il faille susciter ces informations mais sans qu'il soit cependant nécessaire de les interpréter. Le chapitre 2 expose en détail les valeurs, les buts et les moyens privilégiés par l'organisation.

Le niveau manifeste

Au troisième niveau, appelé manifeste, les composantes sont nombreuses, aisément perceptibles même pour un observateur externe, mais de signification imprécise pour cet observateur (non pas pour les acteurs), étant donné le caractère multivoque des artefacts et des expressions concrètes, tels les rites/rituels, l'architecture, le langage, etc.

Les manifestations concrètes de la culture organisationnelle, qui incarnent autant des produits que des agents de la culture, sont illimitées et multiformes. Une première catégorie d'artefacts réfère à l'historique de l'organisation. Tant les histoires, les mythes que les héros exposent la façon dont l'organisation a fait face aux compétiteurs par le passé, comment elle a survécu à de mauvaises conditions économiques, comment elle a innové, comment elle traite ses employés, etc. (Schein, 1985).

Ainsi, le *mythe* apparaît comme une narration d'événements fictifs concernant les origines et les transformations de l'organisation. Les mythes établissent des liens affectifs entre un passé glorifié et la réalité présente. Ces liens restructurent les activités et événements passés dans un système d'apparence logique servant de fondement et de légitimation aux conduites présentes et futures de l'organisation (Allaire et Firsirotu, 1984; Pettigrew, 1979). De fait, le mythe délimite l'horizon dans lequel la vie organisationnelle est autorisée à prendre un sens, car il met de l'avant des relations causales explicatives, la désirabilité ou la valorisation de certains états de choses (Boje *et al.*, 1982; Lemaître, 1985).

Dans un contexte mi-réel mi-fictif apparaît le *héros*, individu qui, en raison de sa personnalité, de ses actes, de ses attitudes, est entré dans la légende de l'organisation (Lemaître, 1985). Ce héros personnifie les valeurs de la culture et, comme tel, il représente, mais pas toujours, un modèle à suivre pour les employés. À son époque, Henry Ford a incarné ce personnage non seulement dans son entreprise, mais dans une bonne partie de la société nord-américaine.

Les *histoires* constituent des anecdotes, de toute évidence vraies, au sujet d'un ensemble d'événements (Gregory, 1983; Wilkins, 1983; Deal et Kennedy, 1982; Schein, 1985). Les vedettes de l'histoire sont des employés de l'organisation et la morale de l'histoire promeut les valeurs de cette organisation (Martin et Siehl, 1983). L'histoire du portier qui avait refusé l'accès au siège social IBM à M. Watson, président de cette firme, parce qu'il n'avait pas son macaron d'identification obligatoire a été abondamment utilisée dans cette entreprise pour illustrer que, chez IBM, le règlement s'applique à tous sans exception.

Ainsi, l'école structuro-fonctionnaliste propose que la culture organisationnelle est formée des mécanismes par lesquels l'acteur acquiert les caractéristiques mentales et les habitudes privilégiées par l'organisation. Cet aspect instrumental se traduit par la multiplicité des artefacts culturels qui véhiculent et renforcent la mentalité à acquérir. La prise en compte significante des innombrables manifestations concrètes de la culture organisationnelle, en dépit de leur évidente accessibilité, n'est pas rapidement faisable pour un observateur externe étant donné le caractère multivoque de chacune d'elles.

La culture organisationnelle est un concept récent et a différentes significations pour différentes personnes. Ces problèmes de spécification et de définition ont été clairement révélés dans la littérature. Ott (1989) enregistre 73 mots ou phrases servant à définir la culture organisationnelle. En dépit de ce manque d'accord, la définition de Schein (1985) – «La culture organisationnelle peut être définie comme un ensemble de valeurs centrales, de normes comportementales, d'artefacts et de schémas de comportements qui gouvernent la façon dont, dans une organisation, les gens interagissent les uns avec les autres, et s'investissent dans leur travail et dans l'organisation dans son ensemble.» – permet un consensus sur ce concept, dont la signification partagée a créé les conditions nécessaires au développement d'une méthodologie de l'évaluation. Schein (1985) voit la culture comme un phénomène à plusieurs niveaux de signification reliés entre eux: de ceux relativement observables comme le climat à ceux qui sont presque invisibles.

- Climat = leadership?

Concernant la notion de leadership, certains auteurs ont même restreint le concept de climat de travail à la perception des relations interpersonnelles, notamment la perception des relations entre le superviseur et les subordonnés (Barling *et al.*, 1990), ce qui correspond au *leadership climate*. En effet, à partir de 1964, l'expression *climat de leadership (leadership climate)* apparaissait fréquemment dans les recherches comme étant plus ou moins synonyme du concept de climat. Le terme *climat de leadership* était ainsi utilisé pour définir le climat engendré par le style de supervision des gestionnaires ou de la haute direction d'une entreprise. À la lumière des recherches récentes et en fonction même de la définition perceptuelle du climat, cette appellation se distingue amplement du climat puisqu'elle réfère surtout à un déterminant de ce dernier.

On reconnaît que le climat organisationnel est déterminé par le style de leadership qui prévaut dans une organisation. En effet, il est possible d'obtenir un aperçu du climat régnant dans une entreprise en mesurant le style de gestion. Par contre, le climat organisationnel est passablement différent du style de leadership puisque le concept de climat réfère à des propriétés qui sont devenues institutionnalisées avec les politiques, les procédures ou les contraintes objectives de l'organisation, lesquelles sont ensuite filtrées par les caractéristiques individuelles des employés. Si le climat est perçu comme un concept distinct du leadership, le critère de permanence relative serait approprié à sa définition.

Il faut cependant éviter de confondre la théorie des systèmes de Likert avec les théories de leadership comme certains ouvrages sur le comportement organisationnel le laissent sous-entendre.

Le leadership constitue une des variables explicatives du climat dans la théorie de Likert.

1.3.2 Choix forcé

Parmi les débats qui ont ébranlé ou qui secouent encore le monde des chercheurs et praticiens en climat de travail, il y a la nature unitaire ou différenciée du climat, la comparabilité des perceptions du climat selon le poste d'observation des répondants, selon l'empan organisationnel accessible au répondant.

- Le climat de travail est-il uniforme ou différencié au sein d'une même organisation?

Le climat qu'un employé perçoit dans son département est-il le même que celui qui est perçu par les employés d'autres départements dans la même organisation? Cette question constitue une problématique importante et on peut y répondre aussi bien positivement que négativement. En effet, une entreprise peut être marquée par un seul climat relativement uniforme tout comme elle peut posséder autant de climats qu'elle a de départements ou d'unités. Voyons ce qu'il en est.

Un climat différencié?

La majorité d'entre nous avons remarqué le sentiment de bien-être ou d'inconfort qu'on peut éprouver alors qu'on se déplace d'un département ou d'une unité à l'autre dans une entreprise. Quelquefois, nous n'arrivons même pas à saisir ce qui nous plaît ou ne nous plaît pas dans ces différentes unités ou départements et ce qui fait que nous aimerions y travailler ou non. L'expérience nous enseigne qu'une organisation peut posséder à l'intérieur d'elle-même des microclimats. Ainsi, tout en étant membre d'une entreprise particulière, un employé est quand même membre de plusieurs sous-organisations différentes, son groupe de travail, son département, sa division, etc., qui interagissent et coexistent avec l'organisation en entier. Ainsi, les employés travaillant au marketing peuvent percevoir le climat de leur entreprise d'une façon différente de leurs homonymes œuvrant au département de comptabilité.

Mentionnons également que les grandes organisations qui possèdent des divisions ou des succursales disséminées dans des villes ou régions, loin du siège social, vont généralement voir apparaître des climats différents à l'intérieur de leurs composantes même si ces dernières sont soumises aux mêmes structures et aux mêmes politiques. Plusieurs facteurs peuvent être à l'origine de cette différenciation dont la culture locale des gens en place, la taille des constituantes, les forces du marché, etc. Généralement, plus l'organisation est décentralisée, plus on peut observer des climats différents.

Un climat uniforme?

Il vous est sûrement arrivé, en allant dans des succursales d'une chaîne de restauration rapide très connue, d'observer la remarquable similitude dans la façon d'agir des employés les uns envers les autres et à votre égard. Ce type d'organisation possède en général une structure très centralisatrice qui exerce un contrôle très grand sur les variables causales ainsi que sur la sélection des employés.

Le climat total équivaut à la moyenne des climats colligés pour tous les départements (voir la figure 2). Le climat global d'une entreprise est la résultante des microclimats qui la composent. Cependant, et ceci est démontré dans plusieurs recherches, il est fort probable que ces climats se ressembleront passablement. Les déterminants qui se retrouvent à l'échelle de l'organisation se conjuguent dans l'émergence d'un climat commun.

Ainsi, il peut y avoir un certain partage des perceptions du climat organisationnel entre les employés, ce qui revient à dire que la distinction entre les climats perçus peut ne pas être très grande. On peut même postuler que le climat perçu par un individu est influencé par le climat général de son organisation et par le climat de son département ou unité spécifique de travail.

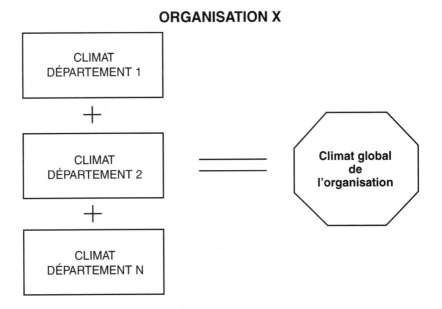

Figure 2.   **Climat global d'une organisation**

- L'empan du climat perçu: unité ou organisation?

Turner (1984) indique que le climat organisationnel est un concept qui traduit l'expérience et le vécu concret d'une catégorie de personnes d'une organisation donnée. Il s'agit d'une atmosphère particulière que perçoivent les travailleurs dans leur environnement immédiat. Tous les travailleurs perçoivent au moins les caractéristiques de l'univers de leur emploi, lequel est composé: a) des fonctions et tâches découlant de la raison d'être de leur poste; b) de l'entourage humain avec lequel ils transigent, que ce soient leur supérieur, leurs pairs, leurs subordonnés, leurs fournisseurs ou leurs clients; c) de l'environnement physique et matériel dans et avec lequel ils remplissent leur fonction (Savoie, 1987).

De l'interaction entre *a* et *b* jaillissent les rôles, entre *b* et *c*, le cadre de vie entre *a* et *c*, les conditions du travail. Ces six composantes de l'univers de l'emploi sont perçues par tout employé, quel que soit son poste, et sont souvent partie prenante de la composition du climat de travail. Le climat de travail inclut aussi des dispositifs administratifs et des façons de faire qui affectent le titulaire du poste bien que leur origine soit externe à l'univers de l'emploi, par exemple, les politiques en vigueur dans l'entreprise.

1.4 Résumé de la nature du climat

Le climat organisationnel qui est né de l'idée d'ambiance de travail a été analogiquement comparé à la température ou en général au climat météorologique. Ce concept a attiré l'attention des psychologues depuis les années 60, qui l'ont exprimé en termes d'influences sur le comportement des employés générées par les conditions environnementales internes d'une organisation (Sells et James, 1988). Selon Hoy et Miskel (1996), dans une organisation, un sens d'identité collective émerge et transforme un simple agrégat d'individus en une entité distincte dans un espace de travail donné. Plusieurs termes ont été utilisés pour décrire cette entité: milieu, atmosphère, idéologie, environnement, système émergent et climat.

Ainsi, le climat contribue à l'image que l'organisation projette chez ses employés et même à l'extérieur de ses murs. Il réfère à la façon dont les gens se sentent traités. C'est une variable qui décrit ce que les gens vivent ensemble au travail. C'est une perception partagée par les membres de l'organisation ou d'une unité. Le climat constitue un construit global assez important qui résulte de l'interaction de l'individu et de l'organisation (environnement de travail, structure, processus, groupes).

On observe cependant de plus en plus dans les recherches que le climat est conceptualisé selon la mesure perceptive des attributs organisationnels. Ainsi, c'est la perception de l'environnement de travail qui tient lieu de cadre de référence par lequel l'employé interprète les demandes de son milieu et choisit les comportements qu'il doit adopter.

D'après Jorde-Bloom (1988), le climat est défini comme une perception globale des qualités de multiples caractéristiques ou attributs de l'organisation. Ce sont des perceptions collectives d'un environnement de travail donné. La signification sociale du climat viendrait de cette notion de partage des perceptions dans une organisation et, en conséquence, le climat serait collectif. C'est un construit valide parce qu'il implique un certain accord des membres sur la signification du climat psychologique de travail (James *et al.*, 1988). Une interaction sociale effective est une condition requise pour décrire le climat collectif puisque les climats collectifs sont basés sur l'entente entre les individus (Jackofsky et Slocum, 1988).

Le climat indique comment le milieu organisationnel est vécu par la grande partie des acteurs. *Quand on parle du climat, il s'agit finalement de la mesure de la qualité avec laquelle les individus se sentent traités ou considérés dans leur vie de travail.* Le climat d'une organisation évoque la qualité des conditions de travail telle que perçue par ceux qui la vivent en tant qu'acteurs internes de cette organisation. Enfin, il peut y avoir des variations dans la perception du climat en fonction du type de profession ou du palier hiérarchique occupé.

1.5 Typologies du climat de travail

Comme le climat de travail correspond à la perception partagée par les membres d'une entité sociale quant à la façon dont ils sont traités dans cette entité, la recherche a forcément mis en évidence différentes façons dont les travailleurs se sentent traités. Comme il fallait s'y attendre, ses différentes modalités s'échelonnent sur un *continuum* allant de très bien à très mauvais. Par conceptualisations successives, on en est arrivé à une échelle composée de six échelons dans laquelle les employés sont, à une extrémité, exploités et abusés, et, à l'autre extrémité, valorisés et développés.

Cette échelle intégrée prend appui sur l'inventaire de Kets de Vries et Miller (1984) pour la description des climats pathologiques, sur la typologie de Rensis Likert (1967) pour les quatre échelons centraux de l'échelle, sur les travaux de Moukva (1965) pour l'échelon consacré à la créativité. Cette mise en ordre des échelons du pire au mieux s'appuie aussi sur le modèle bidirectionnel de Halpin et Crofts (1963), qui rapportait deux grandes orientations dans les climats (ouvert ou fermé). La figure 3 présente l'intégration des principales théories du climat.

1.5.1 L'orientation fermée

Halpin et Crofts (1963) sont les instigateurs de cette classification, parmi les premières, des climats de travail de type ouvert ou fermé. Dans un climat fermé, la méfiance et le désengagement face à l'organisation prévalent. L'administration se fait de façon routinière et la bureaucratie est très développée. La supervision est exercée de façon étroite, sévère et impersonnelle. Il y a peu d'intérêt dans le développement du personnel. Ce dernier adopte souvent des comportements apathiques, voire de résistance (active ou passive).

1.5.1.1 Les climats pathologiques

Kets de Vries et Miller (1984), dans leur livre *The Neurotic Organization,* proposent une conception psychanalytique de l'organisation dans laquelle on retrouve une description des styles de gestion pathologiques pouvant être associés au climat.

Pathologique	Autoritaire-exploiteur	Autoritaire-paternaliste	Consultatif	Participatif de groupe	Créatif

←- →
    Orientation fermée   Orientation ouverte

Figure 3. **Typologies intégrées du climat de travail**

Ces auteurs ont repertorié cinq climats pathologiques: le paranoïaque, le compulsif, le dramatique, le dépressif et le schizoïde.

Dans un climat paranoïaque, les gestionnaires développent des systèmes d'information très sophistiqués pour anticiper les dangers possibles venant du gouvernement, des compétiteurs et même de leurs propres employés. La direction a pour objectif de travail principal la surveillance et le contrôle, et elle a surtout tendance à réagir plutôt qu'à anticiper. La haute direction va quelquefois donner l'image d'être très consultative auprès de ses employés quant à la prise de décision, mais l'objectif véritable de ce mode de gestion est l'anticipation et la prévention des problèmes organisationnels. De cette façon, la direction finit par institutionnaliser le doute. Les organisations de type paranoïaque vont fréquemment diversifier leurs produits ou services afin de réduire les risques monétaires. Et comme la diversification requiert plus de contrôle et d'information, la paranoïa est renforcée.

Le climat compulsif de travail se caractérise par une série de rituels, tous les détails des opérations étant clairement planifiés à l'avance. La hiérarchie organisationnelle a un statut très important aux yeux des employés. La direction essaie d'éviter les surprises et de clarifier le plus possible les objectifs de travail en mettant l'accent sur les systèmes d'information et de contrôles formels. Tous les projets sont conçus de façon très détaillée et comportent de fréquentes phases d'évaluation. Finalement, les politiques et les procédures sont tellement strictes que même les vêtements, les réunions et les attitudes des employés sont fortement contrôlés et dirigés.

Dans le climat dramatique, l'atmosphère de travail est caractérisée par l'hyperactivité, l'impulsivité et le sens de l'aventure. La haute direction essaie surtout de créer son propre environnement plutôt que de réagir à celui déjà présent et, par le fait même, elle centralise à l'extrême le pouvoir.

Le climat dépressif de travail se caractérise quant à lui par de la possessivité, de l'inactivité et de la soumission chez les employés. La haute direction ainsi que la plupart des gestionnaires consacrent la majorité de leur temps à traiter de choses futiles et inutiles et sont très conservateurs dans leur façon d'agir. Les activités à accomplir ne sont que celles qui ont été programmées longtemps à l'avance. Le contrôle du travail est exercé par des programmes et par des politiques formalisées plutôt que par des initiatives de gestion, et l'autorité formelle est non seulement centralisée mais elle est aussi basée sur le statut plutôt que sur l'expertise. La léthargie est telle que les orientations d'hier sont toujours à la mode.

Dans un climat schizoïde de travail, la haute direction s'imagine que tout va mal et a tendance à rêver pour compenser. Le pouvoir est fréquemment entre les mains des cadres intermédiaires qui voient dans les rêveries de leurs supérieurs un moyen d'assouvir leurs besoins. Les comportements d'un groupe de gestionnaires sont souvent neutralisés par ceux d'un groupe opposé. Le système d'information est souvent utilisé comme une source de pouvoir. Les gestionnaires, peu importe leur niveau, vont souvent ériger des barrières pour contenir le flux d'informations. Et, puisqu'il existe beaucoup de luttes de pouvoir qui retiennent l'attention de la haute direction, elle n'est jamais à jour en ce qui concerne les fluctuations de son environnement.

1.5.1.2 Les climats malsains

Rensis Likert (1967) a déterminé quatre types de climat organisationnel et les a nommés systèmes de gestion, souvent confondus avec des styles de leadership. Ce sont le climat autoritaire exploiteur, autoritaire paternaliste, consultatif et participatif de groupe.

Le climat autoritaire exploiteur

Dans le type de climat autoritaire exploiteur, la direction ne fait pas confiance aux employés. La majeure partie des décisions sont prises au sommet de l'organisation et sont réparties selon une fonction purement descendante. Les employés doivent travailler dans une atmosphère de crainte, de punitions, de menaces, occasionnellement de récompenses, et la satisfaction des besoins est confinée aux aspects physiologiques et de sécurité. Le peu d'interactions qui existent entre supérieurs et subordonnés sont établies sur une base de peur et de méfiance. Quoique le processus de contrôle soit fortement centralisé au sommet, il se développe généralement une organisation informelle qui s'oppose aux buts de l'organisation formelle. Ce type de climat présente paradoxalement un environnement stable et aléatoire où la direction ne communique avec ses employés que sous la forme de directives et d'instructions spécifiques.

Le climat autoritaire paternaliste

Le type de climat autoritaire paternaliste est celui dans lequel la direction a une confiance condescendante en ses employés, tel un maître envers son serviteur. La majeure partie des décisions sont toutefois prises à des échelons supérieurs. Les récompenses et parfois les punitions sont les méthodes utilisées pour motiver les travailleurs. Les interactions entre supérieurs et subordonnés sont établies avec arrogance par les supérieurs et avec précaution par les subordonnés. Quoique le processus de contrôle demeure toujours centralisé au sommet, il est quelquefois délégué aux échelons intermédiaires et inférieurs. Une organisation informelle peut se développer, mais elle ne résiste pas toujours aux buts formels de l'organisation. Sous ce type de climat, la direction joue beaucoup avec les besoins sociaux de ses employés, qui ont par contre l'impression de travailler dans un environnement stable et structuré.

1.5.2 L'orientation ouverte

Ce climat se caractérise par un degré élevé de confiance et d'engagement. Le leader dirige son institution par une combinaison de structuration et de considération. Les employés forment généralement une équipe de travail stable et productive. Dans ce type de climat, la bureaucratie est réduite au minimum, la supervision est très large et les lois et règlements réduits au minimum. Les administrateurs sont surtout perçus comme des chefs d'équipe et l'institution dans son entier tend vers la satisfaction des besoins de ses employés et l'efficacité au travail (Halpin et Crofts, 1963).

1.5.2.1 Les climats sains

Le climat consultatif

La direction qui évolue dans un climat de type consultatif a confiance en ses employés. Les politiques et les décisions générales sont prises au sommet, mais on permet aux subordonnés de prendre des décisions plus spécifiques à des niveaux inférieurs. La communication est de type descendant. Les récompenses, les punitions occasionnelles et une forme d'implication sont utilisées pour motiver les travailleurs; on essaie aussi de satisfaire leurs besoins de prestige et d'estime. Il y a une quantité modérée d'interactions du type supérieur-subordonné, souvent avec un degré de confiance assez élevé. Les aspects importants du processus de contrôle sont délégués de haut en bas avec un sentiment de responsabilité aux échelons supérieurs et inférieurs. Une organisation informelle peut se développer, mais elle peut généralement soutenir les buts de l'organisation ou à l'occasion y résister. Ce type de climat présente un environnement assez dynamique où la gestion est effectuée sous forme d'objectifs à atteindre.

Le climat de participation de groupe

Dans le climat de participation de groupe, la direction a une confiance complète en ses employés. Le processus de prise de décision est disséminé dans toute l'organisation tout en étant très bien intégré à chacun des niveaux. La communication ne se fait pas seulement de manière ascendante ou descendante, mais aussi de façon latérale. Les employés sont motivés par la participation et l'implication, par l'établissement d'objectifs de rendement, par l'amélioration des méthodes de travail et par l'évaluation du rendement en fonction des objectifs. Il existe une relation amicale et de confiance entre les supérieurs et les subordonnés. Beaucoup de responsabilités sont accordées en regard du contrôle avec une très forte implication des échelons subalternes. Les organisations formelles et informelles sont souvent les mêmes. Bref, tous les employés et tout le personnel de direction forment une équipe pour atteindre les buts et les objectifs de l'organisation, qui sont établis sous forme de planification stratégique.

1.5.2.2   Les climats de croissance

Le climat créatif

Dès 1965, Moukva a fait une étude dans laquelle il a démontré que le climat créatif, résultant d'une structure organisée autour des projets et non des individus, peut conduire à un large ensemble d'idées qui peuvent servir de base pour les projets dans des champs technologiques clés pour l'organisation. Le climat de créativité se définit comme étant un environnement où les gens se sentent libres de parler et où on peut présenter sans risque une nouvelle idée. C'est un climat de travail où toute idée serait vue comme une bonne idée potentielle. Chacun est encouragé à interagir avec les autres (dialogue interpersonnel) et à ne pas s'isoler. Les interactions se déroulent dans une atmosphère de respect mutuel. À cet effet, Moukva (1995) précise qu'«*un environnement favorable à la créativité (dans un groupe ou dans une organisation) ne se limite pas à permettre aux membres de fournir de nouvelles idées, mais favorise aussi la réceptivité aux nouvelles idées*». C'est un climat où les individus discutent à l'aise et en toute liberté des idées et de leur contribution.

La direction s'efforce de créer une atmosphère de participation créatrice et de faire disparaître les barrières sociétales à la coopération dans une activité créatrice. Comme l'affirme Bleicher (1987), la communication de chaque membre avec les autres est fondamentalement créatrice et elle conduit, à travers un processus de thèse antithèse synthèse, à de nouvelles découvertes. La communication entre les personnes est importante pour construire un environnement favorable aux activités créatrices (Poulakos, 1974). Le défi en gestion est d'assurer l'interaction de chacun avec les autres au sein du groupe et avec l'environnement externe.

Le processus de créativité est considéré aussi important que le produit final. En effet, la définition générale actuelle de la créativité inclut les processus de création, de production et de gestion du produit réalisé. Dans un climat de créativité règne un intérêt pour la nouveauté et la complexité, pour la résolution de situations problématiques.

La créativité se concrétise dans des activités d'innovation (Yong, 1994). La documentation indique que l'innovation effective demande des climats de travail qui la nourrissent, par exemple, une situation financière stable, l'encouragement à la prise de risques, l'attribution de récompenses aux innovateurs. L'étude de Raudsepp (1987) suggère que la créativité peut accroître la qualité des solutions, aider à découvrir des innovations profitables, revitaliser la motivation chez les travailleurs, maintenir à jour les habiletés personnelles et catalyser la performance des équipes de travail.

1.6 Typologie confiance/ méfiance du climat organisationnel

Nous avons élaboré à partir des études de Roy (1994) une typologie du climat organisationnel basée sur la dichotomie méfiance-confiance. Il ressort de la plupart des études portant sur le climat de travail que les notions de confiance et de méfiance sont en général les plus importantes dans la perception des gens face à leur environnement de travail. La figure 4 présente cette conception du climat inspirée de nos études et de nos observations. On retrouve ainsi six types de climat organisationnel, regroupés sous deux grandes typologies. Sous la typologie confiance, on aurait les climats de bienveillance, de soutien et de souplesse, et sous celle de méfiance, les climats de rigidité, de nuisance et de malveillance.

1.6.1 Climat de méfiance

Il s'agit d'un environnement de travail perçu par les employés comme étant fermé et où le doute et la méfiance prévalent. Les employés savent qu'ils peuvent difficilement se fier à l'institution. Les communications ascendantes, descendantes et latérales sont difficiles, pas toujours franches et souvent fermées. La haute direction agit de façon autoritaire, impose des solutions; les employés ne peuvent pas toujours travailler en équipe et ils manquent d'engagement et d'implication au travail. Des comportements antisociaux et délinquants (vols, violence et sabotage) font leur apparition. Le perfectionnement et le recyclage sont soit peu présents, soit mal perçus par les employés. Les cliques vont parfois avoir des relations conflictuelles ou chercher à combattre le pouvoir de la direction. Les relations patronales-syndicales vont être teintées d'une idéologie de combat. Cette catégorie de climat de méfiance regroupe trois sous-climats, qui sont la rigidité, la nuisance et la malveillance.

A. Sous-climat de malveillance

Il s'agit d'un environnement de travail caractérisé par une méfiance extrême. La direction est très méfiante face à ses employés et vice-versa. Les employés sont aussi très méfiants

Malveillance 1	Nuisance 2	Rigidité 3	Souplesse 4	Soutien 5	Bienveillance 6

←-   -→

Méfiance   Confiance

Figure 4.   **Typologie du climat organisationnel confiance/méfiance**

entre eux et refusent de s'entraider et de collaborer. Les membres considèrent qu'ils sont prisonniers dans un système qui les dévalorise. L'environnement physique est considéré comme étant très néfaste, voire dangereux. Les contraintes imposées par l'organisation sont vues comme malsaines, néfastes et cherchant à blesser. Les relations intergroupes sont soit très conflictuelles (on cherche à faire du mal à l'autre), soit carrément inexistantes (les employés étant tenus dans l'isolement ou préférant s'isoler). Les relations patronales-syndicales sont des relations de combat et les deux parties se livrent une lutte de pouvoir très agressive où chacun essaie d'affirmer sa supériorité. Les incitations au travail se font d'une manière dictatoriale et extrêmement contraignante. Finalement, on voit apparaître des actes délictueux, violents et des comportements antisociaux visant à détruire la réputation d'une personne.

B. Sous-climat de nuisance

Cet environnement interne est caractérisé par un certain degré de méfiance et de compétition entre les employés. De plus, ces derniers sont dirigés de façon très autocratique et sans considération. L'environnement physique est malpropre, voire insalubre. Les contraintes imposées par l'organisation nuisent à l'autonomie individuelle et favorisent une compétition malsaine entre les employés, entraînant leur isolement. Les attitudes au travail de même que l'application des règles qui régissent la façon de faire sont vues comme négatives, dépassées et contrariantes, et elles gênent le rendement au travail. Les relations intergroupes sont conflictuelles et compétitives et les incitations au travail, souvent contradictoires, nuisent plus au rendement qu'autre chose. Les relations patronales-syndicales sont conflictuelles et très formalisées. On voit apparaître non seulement des comportements antisociaux, mais aussi des comportements délinquants tels que le sabotage et le vandalisme.

C. Sous-climat de rigidité

Ce type de climat se caractérise par un faible niveau de confiance. Les employés considèrent qu'ils ont peu d'autonomie et de considération. Au travail, ils perçoivent que leur environnement physique (température, éclairage, propreté) laisse un peu à désirer. Les contraintes imposées par l'organisation, c'est-à-dire les règles qui régissent la façon de faire et les attitudes au travail de même que l'application de ces règles, sont vues comme immuables, inflexibles et austères. Les relations intergroupes ou patronales-syndicales sont froides et distantes sans plus et les incitations au travail se font de façon autoritaire. On trouve ici certains comportements antisociaux comme les mensonges et les rumeurs.

1.6.2 Climat de confiance

Il s'agit d'un environnement de travail perçu par les employés comme étant ouvert et où la justice et l'équité prévalent. Les employés savent qu'ils peuvent se fier à l'institution. Les communications ascendantes, descendantes et latérales sont ouvertes, franches et honnêtes.

La haute direction agit de façon consultative et les problèmes sont réglés à la source. Les employés travaillent efficacement. Un fort degré d'implication et d'engagement au travail caractérise le fonctionnement de tous les employés. Les comportements antisociaux et délinquants (vols, violence et sabotage) sont quasi inexistants. Les employés sont fortement intéressés par le développement personnel et sont prêts à se recycler. Les groupes informels d'employés et les cliques ont surtout une fonction de soutien; il n'existe donc presque pas de conflits intergroupes et les relations patronales-syndicales sont basées sur une conception d'affaires plutôt que de combat. Cette catégorie de climat de confiance regroupe trois sous-climats, qui sont la souplesse, le soutien et la bienveillance.

A. Sous-climat de souplesse

Il s'agit d'un environnement de travail perçu par les employés comme étant moyennement juste et équitable. On observe quelques accrocs à la probité mais en général assez légers. La fiabilité de l'organisation n'est pas toujours exemplaire. Les employés considèrent qu'en général ils pourraient jouir de plus d'autonomie et de considération. L'environnement physique est perçu comme pouvant être amélioré. Les contraintes imposées par l'organisation sont, à la limite, acceptables. Il existe quelques conflits intergroupes, mais ceux-ci n'ont pas de répercussions sur la performance au travail. Les relations patronales-syndicales sont cordiales, mais pas plus. Finalement, les employés considèrent que leur organisation ne leur prodigue qu'un minimum d'encouragement à travailler.

B. Sous-climat de soutien

Il s'agit de la perception des employés concernant le soutien qu'ils reçoivent au travail de la part de leur organisation. Les employés considèrent qu'on leur permet d'apprendre de leurs erreurs. L'environnement physique est acceptable. Les contraintes imposées par l'organisation sont minimes et visent surtout l'aide à la performance. Les relations intergroupes sont basées sur l'entraide et l'amitié. Les relations patronales-syndicales se font sur une base d'affaires. Finalement, les employés apprécient que les incitations au travail se fassent surtout sous forme d'encouragement.

C. Sous-climat de bienveillance

Ce type de sous-climat se caractérise par un degré très élevé de confiance. Les employés perçoivent qu'ils ont beaucoup d'autonomie et de considération, et que leur environnement physique (température, éclairage, propreté, etc.) est très confortable. Les contraintes imposées par l'organisation, c'est-à-dire les règles qui régissent la façon de faire et les attitudes au travail, de même que l'application de ces règles, sont vues comme étant nulles ou inexistantes. Les relations intergroupes et les relations patronales-syndicales sont teintées de confiance et de coopération. Finalement, les employés considèrent que l'organisation leur prodigue énormément d'encouragement au travail.

En résumé, la perception entretenue par les acteurs d'un système sur la façon dont ils sont traités joue un rôle important dans l'efficacité d'une organisation. La notion de climat constitue une variable centrale dans la compréhension des phénomènes organisationnels. L'analyse des études effectuées sur le climat à ce jour démontre que la notion de confiance est un élément fondamental de cette variable. Le climat peut donc être diagnostiqué selon l'axe confiance/méfiance. Dès que les employés deviennent méfiants, ils utilisent ce référent pour interpréter la réalité qui les entoure. C'est ainsi qu'on peut voir apparaître des baisses de rendement, voire des comportements antisociaux et délictueux.

Chapitre 2

Dynamique du climat de travail

La nature multidimensionnelle du climat fait en sorte que les variables qui le composent sont nombreuses et en interaction, de sorte qu'il est préférable de ne pas les analyser isolément. Par exemple, les effets du climat sur le rendement, la productivité ou la satisfaction viennent renforcer, plus souvent qu'autrement, la nature même du climat et s'ajoutent de ce fait aux causes déjà existantes. Ainsi, une entreprise de type autocratique dont les employés connaissent une baisse de rendement cherchera généralement à renforcer sa supervision, ce qui, rétroactivement, contribuera à miner encore plus le climat.

C'est pourquoi, quand on cherche à comprendre et à analyser le climat d'une organisation, il ne peut être question d'analyser isolément les causes et les effets. C'est pourtant ce qu'on fera dans ce chapitre. À des fins didactiques, les variables causales, les constituantes du climat et les variables résultantes les plus importantes seront analysées une à une.

Il est possible de considérer l'étude du climat de travail sous les trois aspects suivants: sous l'angle des sources, à l'effet que le climat émerge de pratiques et de dispositifs en action dans une organisation; sous l'angle de la composition du climat en tant qu'une série de caractéristiques, relativement stables dans le temps, qui décrivent une organisation et qui la distinguent des autres; et enfin sous l'angle des conséquences du climat sur l'organisation et sur les individus (Brunet, 1983).

2. Modèle dynamique

Ce chapitre porte sur la dynamique du climat de travail dans une organisation, plus précisément sur ce qui détermine le climat (ses causes), sur ce qui constitue le climat (ses composantes), sur ses effets individuels et organisationnels (les résultantes). Le climat de travail émerge de la perception partagée par un ensemble de personnes au sujet de quelques variables clés, lesquelles sont à la fois le produit de déterminants organisationnels et le déclencheur d'effets organisationnels et individuels.

La figure 5 présente la façon dont les déterminants organisationnels affectent les composantes du climat, lesquelles, perçues par les individus, génèrent des conduites individuelles et des répercussions organisationnelles. Ainsi, les résultats qui sont observés dans une organisation proviennent en partie du type de climat qu'on y trouve, lui-même résultant des différents aspects objectifs de la réalité de l'organisation perçue par les individus réagissant en conséquence.

Chercheur bien connu pour ses travaux en psychologie organisationnelle, Rensis Likert (1961, 1967) présente une théorie du climat organisationnel des plus complètes par son degré d'explication et d'extrapolation. Notre modèle théorique s'appuie sur cette contribution essentielle de Likert en y intégrant les découvertes des 20 dernières années en regard de la théorisation du climat de travail (voir la figure 5).

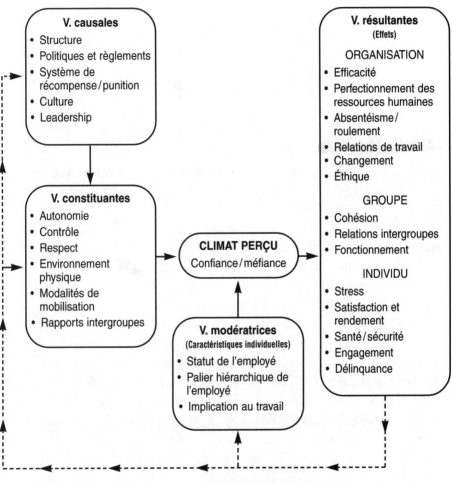

Figure 5.   **Modèle dynamique du climat de travail**

D'une façon plus spécifique, il y a quatre types de variables qui contribuent à l'activation de la dynamique du climat de travail:

1. les variables causales: les déterminants organisationnels;
2. les variables intermédiaires: les composantes du climat;
3. les variables modératrices: la perception de l'acteur;
4. les variables finales: les résultantes individuelles et organisationnelles.

1. Variables causales: Ce sont des variables indépendantes qui déterminent le sens dans lequel évolue une organisation ainsi que les résultats qu'elle obtient. Elles ne comprennent que les variables indépendantes susceptibles de subir une modification venant de l'organisation ou de ses responsables. Bien que la situation générale d'une entreprise, représentant une variable indépendante, ne fasse pas partie des variables causales, ces dernières comprennent, en revanche, la structure de l'organisation et sa gestion: règles, décisions, compétences et attitudes. Les variables causales se distinguent par deux traits essentiels: 1) elles peuvent être modifiées ou transformées par des membres de l'organisation qui peuvent aussi ajouter de nouvelles composantes; et 2) ce sont des variables indépendantes qui tiennent le rôle de cause dans une relation causale. En d'autres termes, si ces variables causales sont modifiées, elles engendrent des modifications sur d'autres variables; si elles demeurent inchangées, elles ne subissent généralement pas l'influence d'autres variables (Likert, 1967). Les variables causales agissent directement sur les composantes du climat (variables intermédiaires) parce qu'elles suscitent autant de façons de traiter les individus. Expliquées une à une ultérieurement dans ce chapitre, les variables causales dominantes dans l'émergence du climat de travail sont:

- la structure organisationnelle;
- les politiques et règlements;
- la culture organisationnelle;
- le système de récompenses et de punitions (justice et équité);
- le leadership.

2. Variables constituantes: Ces variables sont les composantes concrètes du climat de travail. On les qualifie d'intermédiaires parce que c'est par leur entremise que s'effectue l'action «climatique» des variables causales et que ce sont elles que doivent percevoir les individus pour en arriver à une idée du climat existant dans leur organisation. En dépit de l'absence de consensus quant à la structure définitive du portefeuille des composantes du climat, certaines variables apparaissent de plus en plus incontournables (Likert, 1967; Brunet, 1983; Roy, 1994). Ce sont:

– le degré d'autonomie au travail;
– le degré de contrôle sur son propre travail;
– l'environnement physique immédiat;
– la considération et le respect au travail;
– la qualité des relations intergroupes;
– le système de mobilisation en vigueur.

Ces variables ainsi que la façon de les mesurer font l'objet du chapitre 3.

3. Variables modératrices: Ce sont les éléments appartenant à l'individu qui vont individualiser sa perception des variables constituantes et les comportements qu'elle adoptera. La teneur de ces perceptions aura un effet majeur sur les comportements d'engagement ou de déviance qui seront adoptés par les acteurs, car la réaction d'un individu à toute situation est toujours fonction de la perception qu'il en a. Si la réalité influence la perception, c'est la perception qui détermine le type de comportement qu'un individu va adopter.

En formant ses perceptions du climat de travail, l'individu agit comme un filtre, utilisant les informations venant: a) des événements qui surviennent autour de lui, des caractéristiques de son organisation; et b) de ses caractéristiques personnelles. Pour Likert, le comportement des individus est causé en partie par le comportement administratif et les conditions organisationnelles qu'ils perçoivent et en partie par leurs informations, leurs perceptions, leurs attentes, leurs capacités et leurs valeurs.

Cette perspective s'inscrit sans ambages à l'école de la Gestalt, où l'accent est mis sur l'organisation de la perception. Selon cette approche, deux principes régiraient la perception de l'individu: a) saisir l'ordre des choses telles qu'elles existent dans le monde; et b) créer un nouvel ordre par un processus d'intégration dans la pensée. Les individus comprendraient le monde qui les entoure en se basant sur des critères perçus et inférés et ils se comporteraient selon la façon dont ils se représentent ce monde. Ce serait donc la perception de l'environnement qui influencerait le comportement de l'individu.

De façon opérationnelle, les variables modératrices qui ont été formellement identifiées sont le statut de l'employé (cadre *vs* conseil) et le statut hiérarchique de l'employé.

4. Variables finales: Ce sont des variables dépendantes découlant de la conduite d'engagement ou de déviance en regard de l'organisation. Ces variables reflètent certains résultats obtenus par l'organisation et relèvent, pour la plupart, de l'efficacité organisationnelle de l'entreprise. Ce sont:

- l'implantation d'un changement organisationnel;
- la délinquance organisationnelle;
- l'engagement envers l'organisation;
- l'éthique au travail;
- les relations de travail et la syndicalisation;
- la santé et la sécurité au travail;
- l'absentéisme et le taux de roulement;
- le perfectionnement des ressources humaines;
- la satisfaction et le rendement au travail;
- l'efficacité organisationnelle globale;
- le stress au travail.

5. Boucle de rétroaction (*feed-back*): Le climat organisationnel est aussi un phénomène circulaire dans lequel les résultats produits viennent confirmer les perceptions des employés. En d'autres mots, si les caractéristiques psychologiques personnelles des travailleurs, telles que les attitudes, les perceptions, la

personnalité, la résistance au stress, les valeurs et le stade d'apprentissage servent à interpréter la réalité qui les entoure, elles sont aussi affectées par les résultats obtenus par l'organisation. Ainsi, un travailleur qui adopte une attitude négative dans son travail à cause du climat organisationnel qu'il perçoit développera une attitude encore plus négative lorsqu'il constatera les faibles résultats de l'organisation, d'autant plus si la productivité ou le rendement sont faibles.

2.1 Les déterminants du climat de travail

Les déterminants du climat de travail orientent la façon dont les membres de l'organisation vont être traités. Ils ont une incidence directe sur les composantes mêmes du climat, lesquelles incarnent concrètement autant de modalités et de façons de traiter les gens au travail.

2.1.1 Structure organisationnelle

La composante structurelle est une réalité objective pouvant influencer grandement le climat de travail qui est un phénomène subjectif perçu de façon à peu près semblable par une majorité d'acteurs d'une unité donnée. La *structure* organisationnelle peut se définir comme l'ensemble des relations formelles existant entre les unités organisationnelles ou les membres d'une organisation (Bergeron, 1986) ou, comme le propose Mintzberg (1982), la somme totale des moyens employés pour diviser le travail en des tâches distinctes et pour ensuite assurer la coordination nécessaire entre ces tâches. La structure organisationnelle définit les propriétés formelles d'un système qui existent indépendamment de ses composantes humaines. Les entreprises diffèrent beaucoup sur le plan de leur taille, de leur aménagement structurel, de leur agencement hiérarchique. La structure recouvre généralement les éléments suivants: 1) l'empan du contrôle administratif (*span of control*); 2) la taille de l'organisation (nombre d'employés); 3) le nombre de paliers hiérarchiques; 4) le rapport *taille d'un département* sur le nombre de départements compris dans l'organisation; 5) la configuration hiérarchique des postes (organigramme); 6) le degré de centralisation de la prise de décision; 7) la spécialisation des fonctions et des tâches; 8) la formalisation des procédures organisationnelles; et 9) le degré d'interdépendance des différents sous-systèmes (Brunet, 1983).

Il n'est pas facile de déterminer un nombre exact de dimensions structurelles: les variables sont beaucoup trop nombreuses et spécifiques pour être interprétées ici. Néanmoins, nous allons regarder les effets causés par certaines caractéristiques physiques et objectives.

2.1.2 Taille de l'organisation

En 1973, Payne et Mansfield étudient la relation entre le climat de travail, d'une part, et la structure et les processus organisationnels, d'autre part, chez 387 employés provenant de tous les paliers hiérarchiques de 14 organisations différentes. De façon claire, il est apparu que le climat organisationnel était influencé par la taille de l'organisation et par sa dépendance économique vis-à-vis des autres organisations. De plus, à mesure que la taille de l'organisation ou même de l'unité s'accroît, plus le climat est susceptible d'être caractérisé par l'aliénation, la conformité et le désengagement.

Approfondissant leur étude, Payne et Mansfield rapportent un effet négatif de la taille de l'organisation sur le processus social en son sein et sur les rapports interpersonnels. Ainsi, plus la taille est grande, plus le contrôle émotionnel est élevé, plus les rôles sont formels et conventionnels et plus les tâches sont structurées et régies par des lois ou des réglementations. Les relations fonctionnelles entre les employés deviennent normalisées, formalisées et, bien souvent, réduites au minimum à cause de la spécialisation des tâches. La dilution du pouvoir engendrée par les nombreux paliers hiérarchiques confère un sentiment d'anonymat et d'isolement. Dans ces organisations, les employés se sentent dans un état d'anomie, «comme des numéros», facilement remplaçables et évidemment, le climat de leur organisation est perçu comme étant froid. Déjà Likert en 1967 rapportait que les entreprises centralisées et fortement hiérarchisées ont tendance à produire des climats fermés, autoritaires, rigides, contraignants et froids, nuisant ainsi à la créativité de leurs employés, comme on le trouve dans les organisations mécanistes (Burns et Stalker, 1961).

Un dernier mot pour décrire les liens existant entre la taille de l'entreprise et le climat de travail. Dans leur recherche en laboratoire, Litwin et Stringer (1968) ont réussi à reproduire divers types de climat organisationnel en utilisant une combinaison de styles de leadership, de certaines normes structurelles et en faisant varier le nombre de personnes dans les groupes. Ils ont constaté que le climat de travail se refroidissait en fonction de l'accroissement du nombre de participants.

2.1.3 Politiques et règlements

Les politiques et règlements en vigueur dans une organisation sont également des déterminants du type de climat de travail susceptible d'y régner. En effet, les politiques et règlements formalisés par une organisation à l'endroit de ses employés ont un effet important sur la perception du climat organisationnel de ces derniers (Von Haller Gilmer et Deci, 1977). Ces directives écrites viennent statuer et prescrire à l'employé un rôle comportemental au travail et déterminent sa marge discrétionnaire, c'est-à-dire, les comportements et les interactions que la direction juge appropriés et utiles dans l'exercice de ses fonctions. Si les politiques et les règlements restreignent trop sa conduite, il pourra alors se sentir captif dans une organisation impersonnelle. Le tableau 2 illustre le code de conduite d'une grande entreprise manufacturière américaine à l'intention de son personnel de bureau.

Tableau 2. **Exemple de code de conduite
ou règlements organisationnels**
(tiré de Von Haller Gilmer et Deci, 1977,
p. 188-189; traduction libre)

---

1. Tout retard est inadmissible, que ce soit le matin ou au retour du dîner, et une retenue sera effectuée sur la paye de tout contrevenant.

2. Le travail doit débuter immédiatement à l'arrivée le matin; la lecture de journaux ou de revues est défendue.

3. La journée de travail doit se terminer à l'heure prévue et non pas cinq minutes plus tôt. Les employés ne doivent pas flâner à leur bureau en surveillant leur montre.

4. La compagnie reconnaît qu'un employé peut tomber malade. Cependant, les autres causes d'absence ne sont pas reconnues et l'employé devra remettre le temps perdu ou son salaire en sera diminué d'autant.

5. Les conversations entre les employés qui ne se rapportent pas au travail doivent être réduites au minimum.

6. Chanter ou siffloter ne vous aide en rien dans votre travail.

7. Tous les journaux ou les revues qui ne sont pas des documents techniques ne doivent pas se trouver sur votre bureau durant les heures de travail. Ce qui ne signifie pas qu'ils doivent être conservés ou lus aux toilettes.

8. Les loteries organisées par les employés ne sont pas proscrites par la compagnie. Cependant, nous considérons que c'est une bonne source de perte de temps.

9. Il n'existe pas de pause-café, officielle ou non. Cette entreprise est orientée vers le profit. Le profit ou la perte touche directement chaque employé.

10. La direction exige et espère que la productivité des employés s'améliorera. Des politiques plus strictes sont élaborées. Ceux qui ne voudront pas, ou qui ne veulent pas travailler sous de telles politiques, sont priés de venir discuter cet état de fait avec la direction.

Une telle politique restrictive est susceptible d'entraîner une atmosphère de méfiance et de susciter chez les employés un sentiment d'oppression même si dans l'immédiat elle peut occasionner une certaine efficacité. À plus ou moins long terme, on risque de voir apparaître une baisse de rendement importante chez les employés causée par la démotivation, par des griefs, par un fort taux de roulement dans le personnel, par l'absentéisme et peut-être même par des actes de vandalisme. Des climats fermés ou autocrates provoquent souvent des comportements qui deviennent des exutoires de la pression subie, à moins que ce ne soit un climat valorisé par les employés.

2.1.4 Culture organisationnelle

Le concept de climat organisationnel est souvent confondu avec celui de culture organisationnelle. Pourtant, ces deux intitulés désignent des réalités plutôt différentes de la vie organisationnelle. La culture renvoie à ce qui est incitatif ou même prescriptif alors que le climat représente le domaine de la réalité vécue et exprimée sous forme de perceptions de différentes dimensions ou facettes de l'organisation du travail. La culture organisationnelle est un construit qui réfère aux postulats plus ou moins inconscients, aux croyances et aux valeurs, aux normes de l'organisation partagées par ses membres (Schein, 1985). Elle est le fil conducteur appelée par certains: «la camisole de force des croyances et des valeurs auxquelles les employés doivent se conformer dans leurs attitudes et comportements pour travailler en harmonie entre eux». Elle réfère à ce qui est important dans l'organisation. La culture organisationnelle est souvent distincte de la culture corporative, laquelle traduit surtout les valeurs et l'idéologie prônées par la direction, qui peuvent être différentes de celles partagées par l'ensemble du corps social.

Les valeurs de l'organisation

Les valeurs de l'organisation contribuent à qualifier son orientation. Quinn et McGrath (1982) recensent huit valeurs différentes à l'appui de la mission de l'organisation. Pour atteindre sa mission, une organisation peut valoriser: le maintien (homéostatique) du système sociotechnique interne ou, à l'opposé, la compétitivité externe du système dans son ensemble; la décentralisation et la différenciation organisationnelle ou, au contraire, la centralisation et l'intégration; l'expansion et l'adaptation de l'organisation ou, à l'inverse, sa consolidation dans la continuité; la maximisation de l'extrant ou, *a contrario*, l'implication profonde de son personnel. Les valeurs organisationnelles façonnent la manière générale par laquelle l'organisation compte accomplir sa mission.

Les buts de l'organisation

Les buts de l'organisation constituent également des objets sur lesquels porte la culture organisationnelle (Baker, 1980; voir Schall, 1983; Wilkins, 1983, Schein, 1983). Quinn et McGrath (1982) indiquent quatre buts susceptibles d'être poursuivis par toute organisation: 1) stabilité et contrôle; 2) bonification des ressources humaines; 3) croissance et appui externe; 4) productivité et efficience.

Les moyens d'atteindre les buts de l'organisation

Aux buts de l'organisation sont accolés des moyens privilégiés de les atteindre. Quinn et McGrath (1982) citent des moyens tels que: 1) gérer l'information et la communication; 2) développer la cohésion et le moral; 3) développer la souplesse et la rapidité d'adaptation organisationnelle; 4) planifier et établir des objectifs. Wilkins (1983) et Schein (1983) considèrent également les moyens à employer pour atteindre les buts organisationnels comme des contenus de la culture de l'organisation. Schein donne des exemples tels le système de récompense, la structure de l'organisation ou la division du travail. Ce dernier auteur mentionne aussi les stratégies utilisées pour corriger la performance de l'organisation.

Hoy et Miskell (1996) avancent que le climat de travail est plus superficiel et changeant que la culture organisationnelle, mais qu'il est aussi une expression des structures profondes de la culture dans l'interaction entre les situations de contingence. Effectivement, la culture organisationnelle fait partie des inducteurs du climat de travail.

Parmi ces inducteurs se trouve le rituel comme activité composée d'une séquence formalisée d'événements à l'appui des valeurs de l'organisation qui, lorsqu'elle est répétée, l'est dans son intégralité (Martin et Siehl, 1983). Babcock (1973; voir Pettigrew, 1979) souligne en quoi le rituel contribue à susciter une expérience partagée d'appartenance et à exprimer et à renforcer ce qui est valorisé, alors que Mangham et Finneman (1983; voir Lemaître, 1985) élargissent le champ des contributions du rituel à l'expression de la différenciation et de l'exclusion. À titre d'illustration, mentionnons les rites d'accueil aux nouveaux employés, de célébrations à l'occasion d'une promotion, d'hommage au moment de la retraite. Ces activités, par les réactions et la réceptivité qu'elles suscitent chez le personnel, amplifient la perception du climat de travail qui prévaut.

Selon Schein (1985), trois catégories *de comportement*, de la part *des dirigeants*, indiquent aux subordonnés en quoi consiste la culture organisationnelle dans une organisation donnée. Ce sont: a) la réaction des supérieurs à des incidents critiques et à des crises organisationnelles; b) ce à quoi les supérieurs prêtent attention, ce qu'ils mesurent et contrôlent; et c) le modelage délibéré, l'enseignement et le *coaching* relatifs aux rôles. Schein considère ces trois mécanismes comme les plus puissants pour transmettre la culture organisationnelle. Leur impact sur le climat de travail ne saurait être négligé étant donné l'importance du supérieur comme inducteur de climat.

Certains auteurs suggèrent aux intervenants de lire les *publications de l'organisation*. Par exemple, dans les rapports annuels ou trimestriels, les communiqués de presse, les commentaires des analystes financiers, l'organisation se révèle (Deal et Kennedy, 1982) et affiche sa culture déclarée. Dans le même ordre d'idées, Schein (1985) suggère de prêter attention aux énoncés formels relatifs à la philosophie de l'organisation, aux documents utilisés pour le recrutement, la sélection, la socialisation. Allaire et Firsirotu (1984) vont plus loin encore en ajoutant à cette liste les mémos, les lettres. Les écrits sous toutes leurs formes constituent des illustrations de la culture ambiante et contribuent à la coloration du climat de travail.

Finalement, sous la rubrique *façon de faire les choses*, on trouve la tenue vestimentaire, la conscience et l'usage du temps (Harris, 1981; Deal et Kennedy, 1982), les habitudes alimentaires (Harris, 1981) et l'accueil des visiteurs étrangers (Deal et Kennedy, 1982). Selon Wallach (1983), cette compréhension des employés quant à la manière dont on fait les choses dans une organisation donnée constitue un bon indice de la culture organisationnelle prévalante. Sans que cela soit formellement formulé, la «façon de faire les choses» s'apparente à la composante style du concept de rôle (Savoie et Forget, 1983).

2.1.5 Système de récompenses et de punitions (justice et équité)

Selon Rebore (1998), quand un individu s'engage dans une activité de travail, il se demande toujours, consciemment ou inconsciemment, ce que ça va lui rapporter. La satisfaction qu'il va retirer de son travail peut être intrinsèque (accomplissement, développement personnel, etc.) ou extrinsèque (salaire, promotion, etc.). Les gens agissent en fonction de leurs intérêts. En ce sens, les systèmes de récompenses mis en place dans une organisation ont pour but d'inciter un individu à se comporter d'une certaine façon. Selon Lawler et Jenkins (1992), les systèmes de récompenses en milieu organisationnel ont un impact important sur l'efficacité d'une entreprise. De la même façon, les procédures de punition (suspension, mise à pied, etc.) ont pour but de susciter la discipline ainsi que le respect de l'autorité et de l'organisation. Les systèmes de récompenses et de punitions ont une influence importante sur la perception du climat de travail. Si un individu juge que le système de récompense et de punition dans son milieu de travail est appliqué injustement ou inéquitable, il aura tendance à perdre confiance en son entreprise.

Selon Morin (1996), un individu juge l'équité de ses récompenses selon trois normes possibles: une norme historique (ce qu'il a déjà obtenu), une norme organisationnelle (ce que ses collègues obtiennent) et une norme sectorielle (ce que d'autres obtiennent ailleurs, dans des emplois comparables). Selon Adams (1965, voir Morin 1996), l'individu a tendance à ajuster ses contributions en fonction de l'équité des récompenses qu'il anticipe et qu'il reçoit. Toute situation perçue comme inéquitable déclenche une action visant à rétablir l'équilibre (Maillet, 1993). On retrouve le même système sur le plan des punitions. Si les mesures disciplinaires énoncées ou appliquées par l'organisation sont perçues par les employés comme injustes ou inéquitables, elles provoqueront aussi une perte de confiance chez ces derniers. Les systèmes de récompenses et de punitions sont considérés comme des dimensions importantes du climat de travail par plusieurs auteurs, dont Litwin et Stringer (1968), Likert (1967), Pritchard et Karasick (1973), Gavin (1975) et Jorde-Bloom (1988).

2.1.6 Leadership

Une étude de Fleishman, en 1953, révélait que les supérieurs immédiats qui démontrent beaucoup de considération envers leurs contremaîtres engendraient chez ces derniers la même tendance envers leurs employés; inversement, ceux dont le supérieur immédiat était autoritaire adoptaient eux aussi une certaine forme d'autoritarisme face à leurs employés.

Un autre chercheur américain (Gilmore, 1979) a étudié la relation entre le climat organisationnel des écoles et l'exercice d'un pouvoir de type machiavélique. L'individu de type machiavélique agit généralement comme un manipulateur qui considère les autres comme des objets; il cherche à accomplir son travail rapidement plutôt que de planifier à long terme; il préfère influencer les autres que d'être influencé par ceux-ci; agressif, exploiteur, il vise à atteindre avant tout ses objectifs personnels et organisationnels; enfin, il a tendance à prendre le pouvoir lorsqu'il se trouve dans des situations où il possède beaucoup de latitude. En étudiant la perception du climat scolaire par les enseignants et le type de pouvoir exercé par leur directeur d'école, Gilmore (1979) a observé que les enseignants qui décrivent leur directeur comme étant machiavélique ont une perception très négative du climat de travail de leur école et l'impression de vivre dans un système fermé et froid.

Un autre chercheur (Andersen, 1964) a également relevé l'existence d'une relation entre la personnalité des directeurs d'école et le degré de liberté du climat de leur école tel que perçu par les enseignants. Ainsi, les écoles perçues comme ayant un climat ouvert et chaleureux avaient à leur tête un directeur plus confiant en lui-même et plus sociable tandis que les écoles à climat fermé et froid avaient des directeurs plus soumis à la direction générale et plus traditionnels dans leur style de gestion.

La relation de nature causale leadership-climat pourrait aussi être en sens inverse. Selon la théorie du système de reproduction des leaders, les styles de leadership exercés par les gestionnaires d'une entreprise ont généralement tendance à être en conformité avec le climat dans lequel ils travaillent. Ainsi, un climat de type fermé devrait normalement faire surgir des leaders orientés vers la structuration et la tâche à effectuer alors qu'un climat de type ouvert favoriserait des leaders orientés et préoccupés par les relations interpersonnelles avec leurs employés. La théorie du système de reproduction des leaders stipule que, dans un climat particulier, les individus nouvellement promus à un poste d'autorité adoptent le style de leadership de leur prédécesseur puisqu'ils perçoivent que ces comportements sont reconnus et renforcés dans l'organisation. Ce renforcement et cet apprentissage continu, soutenu par le climat, pourraient expliquer la persistance d'un style de leadership particulier et la résistance au changement qu'on peut observer chez les leaders.

2.2 Les variables modératrices

La perception du climat, dans les grandes organisations, n'est pas uniforme, elle peut varier selon le niveau hiérarchique et le statut des répondants. En effet, plus un individu occupe un poste hiérarchique élevé, plus il perçoit son organisation comme: 1) moins autocratique; 2) plus centrée sur ses employés; 3) plus amicale; et 4) plus apte à innover. En effet, l'individu qui a un rang élevé dans la hiérarchie organisationnelle est plus susceptible d'avoir de grandes responsabilités, de voir sa tâche moins structurée et de considérer davantage les relations interpersonnelles comme importantes (Payne et Mansfield, 1973).

- La perception du climat varie-t-elle
  selon le poste qu'on occupe?

Les relations qu'entretiennent les cadres et les professionnels entre eux sont aussi susceptibles de produire un type de climat de travail particulier à ces deux groupes d'employés, surtout si leurs relations tournent au conflit, ce qui est communément appelé conflit entre personnels *line* (fonctionnel) et *staff* (conseil). Les employés qui occupent une fonction *line* ont une position d'autorité et exercent le contrôle sur les activités qui se déroulent dans leur domaine de supervision; ils sont souvent aidés par des employés qui occupent une fonction *staff* ou de conseil tels que des ingénieurs, des avocats, des fiscalistes, etc. Des tensions surviennent fréquemment entre les employés *line* et ceux qui sont *staff*. En effet, les employés *staff* ne se satisfont pas toujours du peu d'autorité qu'on leur donne et les *line* ne voient pas toujours d'un bon œil le fait qu'on leur dise quoi faire. Rarement apparente, cette tension est aggravée par les différences d'âge, de scolarité et de statut social dans ces deux groupes, comme le remarquait déjà Dalton en 1959.

D'autre part, certaines organisations, comme les entreprises de production de haute technologie (aérospatiale, informatique) sont, de par leur orientation commerciale, susceptibles de permettre une meilleure coopération entre les employés *line* et *staff*. Généralement, les politiques organisationnelles dans ces organisations sont conçues pour que l'employé *staff* finisse par accéder à un poste *line*. Il faut également noter que dans ce type d'entreprise, les fonctions ou les tâches sont conçues de façon à favoriser la coopération entre ces deux catégories d'employés. L'employé qui débute y trouvera donc un climat beaucoup plus favorable à son développement et à son épanouissement.

Crozier et Friedberg (1977) rapportent dans leur livre *L'Acteur et le système* un modèle de relations particulières entre un groupe de réparateurs de machines-outils et un groupe d'opérateurs de ces machines. Dans cette organisation, les réparateurs ont tendance à faire disparaître les guides ou manuels d'entretien des machines de façon à être convoqués par les opérateurs à l'occasion d'un bris ou d'un arrêt soudain. Les opérateurs de machinerie deviennent ainsi dépendants des réparateurs pour continuer leur travail. Ils perçoivent, par le fait même, une sorte de climat de dépendance qui peut être tout à fait contraire à ce que les employés d'un autre département vivent ou avec le climat que la direction essaie d'inculquer à son organisation, tout cela à cause de l'exercice indu du pouvoir d'un groupe d'employés sur un autre.

2.3 Les variables résultantes

Les effets du climat organisationnel sur l'organisation sont de deux grandes catégories, à savoir les effets directs et les effets d'interaction. Les effets directs réfèrent à l'influence des propriétés ou des attributs du climat sur le comportement de la majorité ou d'une partie signifiante des membres de l'organisation.

Selon ce type d'effets, on constate que le comportement d'un même individu variera s'il passe d'un climat donné à un autre différent. Quant à l'effet d'interaction, il renvoie à la conduite qu'adopte l'individu à la suite de l'influence simultanée du climat, d'autres attributs de l'organisation ainsi que des récompenses/punitions en provenance du milieu de travail. Dans ce cas, le climat est un agent d'influence de la conduite individuelle parmi d'autres.

Ainsi, le climat peut avoir des effets sur le comportement d'un employé puisqu'il comporte des stimuli appétitifs ou aversifs qui sont renforcés dans le même sens ou non par l'organisation et qui, de toute façon, contribuent à délimiter la liberté d'action des acteurs dans ce système. Le climat module l'adhésion ou la déviance à l'endroit de l'organisation.

2.3.1 Implantation d'un changement

L'implantation réussie d'un changement serait fortement liée à la qualité du climat existant dans l'entreprise. Cette assertion sera vérifiée avec trois technologies sociales fort utilisées au cours des dernières années en milieu organisationnel: la direction par objectif (DPO), les programmes d'évaluation du rendement, les cercles de qualité et la gestion totale de la qualité.

A. Direction participative par objectifs (DPO)

De la fin des années 60 jusqu'à la fin des années 80, la DPO connut une grande vogue auprès de la plupart des entreprises nord-américaines. Par le biais de cette technologie sociale, le supérieur et le subordonné ayant des priorités et des buts communs établissent conjointement des objectifs spécifiques de réalisation dans le cadre de leurs responsabilités et déterminent les mesures à prendre pour les réaliser. La DPO peut être établie à l'échelle d'un poste, d'une unité ou de l'organisation dans son entier (Seikiou *et al.*, 1992). De nos jours, on parle d'habilitation (*empowerment*) accordée à des individus à prendre part à des degrés différents et selon des modalités diverses à la prise de décision (Brassard, 1996).

Théoriquement, la DPO devait amener l'employé à être plus productif et plus satisfait. De nombreuses études et en particulier celle de Tepstra *et al.* (1982), ont démontré que la DPO influence de façon positive le rendement d'un individu quand elle est bien utilisée. Les travaux de Latham et Yukl (1975) et Zultowski *et al.* (1978) ont mis en évidence le rôle joué par le climat organisationnel sur la réussite des programmes de DPO dans les organisations.

Cependant, l'établissement d'une telle politique DPO s'est avéré un fiasco dans plusieurs entreprises qui avaient investi pourtant des sommes considérables dans l'élaboration et dans l'implantation d'une telle approche. On a observé que des employés pouvaient se fixer des objectifs ridicules et faciles à atteindre ou encore établir leurs objectifs de façon qu'ils soient non mesurables et invérifiables. Également, certaines organisations restreignaient la marge de responsabilité des employés dans la détermination et l'atteinte des objectifs ou encore oubliaient de donner de la rétroaction à l'individu sur l'atteinte de ses résultats et sur ses réussites. Ces facteurs d'échec sont directement liés au non-respect des principes motivationnels tels que formulés par Locke (1968) dans sa théorie de la fixation d'objectifs.

Un autre important facteur d'échec a été mis en relief. Il s'agit de la non-concordance existant dans l'entreprise entre le climat organisationnel et la philosophie de la DPO. L'implantation réussie d'un tel programme repose sur un degré au moins minimal d'implication et d'engagement envers l'entreprise de la part des employés. Quatre dimensions importantes du climat seraient rattachées à l'émergence de ces implication et engagement: 1) le soutien fourni par l'organisation à propos de l'autonomie et des possibilités d'innovation que peuvent expérimenter leurs employés; 2) l'accent mis sur la formation et le développement de l'employé; 3) la sécurité et la rétroaction rattachées à l'atteinte des objectifs; et 4) les politiques de récompense et de rémunération de l'organisation.

Une confirmation de l'importance de ces quatre dimensions provient de la recherche de Zultowski *et al.* (1978). Les cadres bien arrimés aux buts organisationnels, bien au fait de leurs objectifs de rendement et capables de planifier leur DPO ont sous leurs ordres des subordonnés plus satisfaits et plus performants que les autres, car ces subordonnés:

- reçoivent fréquemment de la rétroaction sur leur rendement et perçoivent une relation entre leur rendement et la probabilité de recevoir des récompenses organisationnelles;
- s'aperçoivent qu'on leur donne la liberté et la chance d'innover;
- ont aussi la possibilité de recevoir de la formation et du perfectionnement afin d'améliorer leur rendement;
- se sentent en sécurité dans leur équipe de travail.

La réussite d'un programme de DPO suppose l'existence d'une bonne qualité de communication entre les supérieurs et leurs subordonnés ainsi que d'une implication réelle des subordonnés. Certains échecs dans l'implantation de la DPO ont été attribués au fait que la DPO était conçue par la direction comme un système de contrôle du rendement et qu'elle était perçue comme telle par les employés. De la même façon, un système de DPO dans une organisation très autocrate risque d'être perçu par les employés comme un autre processus de contrôle destiné à les encadrer et à structurer leur tâche. À l'inverse, un programme de DPO peut échouer dans une organisation où les employés participent déjà à l'atteinte des objectifs organisationnels et sont particulièrement autonomes dans leur travail (Tepstra *et al.*, 1982). De même, des individus qui travaillent efficacement depuis de nombreuses années sans objectifs spécifiques peuvent se sentir brimés et contraints lorsqu'on leur impose une telle politique.

Par conséquent, en plus d'être rattachée au type d'emploi et au type d'organisation où le programme de DPO est implanté, le succès de ce programme dépend aussi de la nature du climat organisationnel. Un climat offrant un degré suffisant d'autonomie, de soutien au travail et de participation peut être un facteur important du succès d'un tel programme.

B. Cercle de qualité et gestion totale de la qualité

Turcotte et Bergeron (1984) définissent les cercles de qualité comme un groupe de travail naturel qui se réunit à intervalles réguliers et qui, avec l'aide d'un animateur, cherche à repérer, analyser et résoudre des problèmes reliés au travail, à mettre en œuvre les solutions proposées et à contrôler les résultats (p. 5). Quant à la qualité totale, elle apparaît comme une démarche consistant à améliorer constamment tous les processus, internes et externes, qui contribuent à la fabrication d'un produit ou à la dispensation d'un service (Barnabé, 1995). Ces stratégies de gestion des ressources humaines reposent avant tout sur le développement d'un esprit et d'un climat de participation et de collaboration très étroits entre l'organisation et ses employés.

En regard de la gestion totale de la qualité, les études de Lusher (1990) et Rayworth (1993) mettent en lumière la nécessité d'avoir un climat organisationnel adéquat soutenu par une recherche constante des améliorations de la qualité du travail réalisé ou des services rendus. Si on veut intéresser les employés à ces stratégies, il faut tout d'abord qu'ils se sentent impliqués dans la mission de l'organisation, qu'ils puissent l'influencer et que leur aide soit considérée comme importante.

De même, dans une des rares recherches mettant en relation le climat de travail et l'efficacité des cercles de qualité, Geer *et al.* (1995) démontrent que les perceptions du climat sont positivement reliées aux mesures de l'efficacité du programme du cercle de qualité. Quand la direction a confiance en ses employés, ceux-ci deviennent motivés par la participation et l'implication, par l'établissement d'objectifs, par l'amélioration des méthodes de travail et par l'évaluation du rendement en fonction des objectifs.

C. Programme d'évaluation du rendement

L'évaluation de rendement porte sur l'appréciation systématique d'un subordonné selon le travail accompli, selon ses aptitudes et les autres qualités nécessaires et essentielles à la bonne exécution de son travail. Cette évaluation s'effectue souvent à la suite d'une entrevue entre le superviseur et son subordonné et est généralement basée sur des observations du rendement de ce dernier en fonction de critères établis.

Il existe, à notre connaissance, très peu de données de recherches sur les rapports pouvant exister entre le climat de travail et le succès ou l'échec de programmes d'évaluation de rendement, bien que l'on sache que le taux d'échec de ces programmes soit de l'ordre de 80 %. Parmi les facteurs de ces insuccès, un climat de travail méfiant et hostile ne peut être exclu. Murphy et Cleveland (1991), dans leur livre *Performance Appraisal*, déplorent le fait qu'il y ait trop peu de recherches sur la relation entre le climat de travail et l'évaluation du rendement.

On sait que les programmes d'évaluation de rendement sont souvent décriés non seulement par les employés mais aussi par les employeurs. De multiples raisons peuvent expliquer cette insatisfaction. Les façons de faire peuvent être trop subjectives ou encore il peut y avoir un manque de clarté dans les politiques à la base de l'application d'un tel programme.

Si on veut qu'un programme d'évaluation du rendement atteigne les objectifs administratifs ou de développement professionnel, il est préférable qu'il se déroule dans un climat marqué de confiance et d'ouverture. L'évaluation du rendement sera vue, plus ou moins, comme une forme coercitive de contrôle si les employés perçoivent un climat de méfiance dans leur entreprise. Dans un tel cas, les employés ne se sentiront pas impliqués dans ce programme et le verront comme une nouvelle forme de restrictions. Ils pourront même essayer de résister et chercheront par tous les moyens à se défendre plutôt que de s'impliquer et de collaborer à ce nouveau programme. L'évaluation ne doit pas être vue comme une mesure de contrôle mais plutôt comme un processus encourageant l'employé à utiliser et à développer ses potentialités.

Avant de mettre sur pied un tel programme, il serait sage d'établir dans l'organisation un climat de confiance, d'autant plus que la majorité des employés éprouvent le besoin de savoir si leur rendement est satisfaisant ou pas, donc de recevoir de la rétroaction sur leur performance. L'un des grands principes de la conception scientifique de la gestion d'entreprise est que l'efficacité d'un individu au travail est fonction de sa compréhension des attentes que l'organisation a envers lui. L'évaluation du rendement constitue un de ces dispositifs de rétroaction.

2.3.2 Délinquance organisationnelle

La délinquance organisationnelle peut être définie comme «toute forme de comportements adoptés par un individu dans le but de nuire à une autre personne ou à son organisation» (Vandenbos et Bulatao, 1996; Vardi et Wiener, 1996). Les actes délictueux se composent surtout de

- vols: de produits, d'instruments, d'idées;
- fraude: utilisation abusive de la carte de crédit enregistrée au nom de l'organisation ou faux compte de dépenses, détournement de fonds au moyen de l'ordinateur, etc.;
- vandalisme: bris de matériel, de produits, de machinerie ou de tout bien appartenant à l'organisation;
- agression physique sur des employés ou des clients.

Depuis quelques années, les crimes commis par ordinateur tels que les détournements de fonds, par lesquels selon un chercheur (Hickling, 1985), certains employés peuvent voler jusqu'à 120 % de leur salaire brut, sont en progression constante. Ces vols sont souvent difficiles à élucider puisque, quand le criminel a terminé son coup, ni vu ni connu, il n'a qu'à effacer de l'ordinateur sa dernière opération. De même, le vandalisme informatique à l'aide de virus est en voie de devenir un crime des plus sournois, puisqu'un virus informatique peut détruire ou grandement endommager une banque de données, causant ainsi des torts considérables à une organisation. Giacalone et Greenberg (1996) ajoutent à cette liste les mensonges, les rumeurs, la rétention d'informations et même le harcèlement sexuel. Le tableau 3, tiré de Folger et Baron (1996: voir Vandenbos et Bulatao, 1996), présente très bien les diverses formes de délinquance organisationnelle. Il est ainsi possible de distinguer les agressions directes ou indirectes, actives ou passives, physiques ou verbales.

Selon Baron (1996: voir Vandenbos et Bulatao, 1996), les actes agressifs en milieu de travail sont davantage de type verbal que de type physique, bien que, selon Kurke (1991), les comportements délinquants sans violence physique dépendent des mêmes variables que les actes violents. Par contre, le vol d'objets n'est pas seulement une action à caractère économique (utilisation de l'objet à des fins personnelles ou recel), mais aussi une action agressive sans intention d'utiliser l'objet et dont le but est de «faire du tort» à l'organisation.

Les actes délictueux sont loin d'être l'apanage des travailleurs manuels ou cols bleus. Selon Guilhaumon (1986), les crimes des collets blancs représentent près de 80% de l'ensemble des valeurs volées. Ces actes délictueux peuvent infliger des pertes directes énormes, sans compter les coûts indirects tels le départ forcé des employés inculpés, le recrutement et la formation des remplaçants, la réparation de l'équipement abîmé, le remplacement de produits volés, les pertes de temps causées par les enquêtes et la baisse de productivité des témoins assignés à l'enquête. Ceci, sans compter de véritables régimes policiers à l'intérieur des murs de l'entreprise afin de rétablir l'ordre et le respect des règles de conduite.

Dynamique des actes antisociaux

On trouve à la base du développement de comportements antisociaux ou délictueux un phénomène de frustration. La frustration

Tableau 3. **Catégorisation des huit types d'agressions
en milieu de travail**
(tiré de Vandenbos et Bulatao, 1996, p. 68)

Agression directe	Agression indirecte
Physique	
Active (1)	Active (2)
Homicide	Vol
Assaut	Sabotage
Agression sexuelle	Vandalisme
Voyeurisme	Gaspillage des ressources
Gestes obscènes	Camouflage des ressources
Interférence	Élimination des ressources
Passive (3)	Passive (4)
Ralentissement de travail volontaire	Arriver en retard aux réunions
Refus de fournir des ressources	Retarder le travail
Quitter les lieux de travail après réception des ordres	Ne rien faire pour permettre l'atteinte des objectifs de travail
Nuire à la lecture des objectifs de travail	Retarder les autres
Verbale	
Active (5)	Active (6)
Menaces	Rumeurs
Hurlements	Déblatérer
Harcèlement sexuel	Opinions mensongères
Insultes et sarcasmes	Parler contre les meilleurs employés
Évaluation de rendement	Transmettre de l'information erronée
Passive (7)	Passive (8)
Ne pas retourner les appels	Ne pas transmettre l'information
Ne pas parler des objectifs à atteindre	Ne pas nier les fausses rumeurs
Se plaindre	Ne pas essayer d'atteindre les objectifs
Refuser les ordres	Ne pas avertir des dangers possibles

peut se définir comme étant le sentiment vécu par un individu lorsque des obstacles apparaissent et interfèrent dans la poursuite de ses objectifs personnels ou organisationnels (Spector, 1978). Trois facteurs prédominants déterminent le degré de frustration vécue et ressentie par un employé au travail: 1) l'importance de l'objectif à atteindre et qui se trouve bloqué par un obstacle quelconque; 2) le type d'obstacles et leur permanence relative; 3) la fréquence des interférences et le nombre d'obstacles rencontrés sur une certaine période de temps (Giacalone et Greenberg, 1996).

Dans une organisation, il existe généralement deux grands types d'objectifs dont l'atteinte est susceptible d'être bloquée. Premièrement, le rendement au travail, en supposant que le rendement constitue en soi un objectif personnel et que toute interférence sur ce plan conduise à la frustration. Deuxièmement, les objectifs personnels qui ne sont pas nécessairement liés au rendement tels que le revenu, le statut, le prestige et les relations interpersonnelles au travail.

Les deux principales réactions à la frustration sont l'agression et l'évitement. Dans l'évitement, le comportement individuel prend des formes «plus socialement acceptables» comme l'absentéisme, la non-ponctualité ou le roulement, qui constituent des réponses comportementales typiques d'une frustration continue. Pour sa part, le comportement agressif peut se caractériser par de la violence verbale ou physique, du sabotage, des grèves, un ralentissement de travail, le vol d'objets ou d'idées (s'approprier le crédit des autres) ou des comportements antisociaux (rumeurs, mensonges). L'agressivité ouverte, comme la grève ou les ralentissements de travail, apparaît au grand jour lorsque les occasions font que de tels comportements sont plus susceptibles d'engendrer des gains que des pertes. Par ailleurs, lorsque les risques de punition sont grands, soit à cause des règlements organisationnels, soit à cause des normes de groupe, les comportements agressifs prendront des formes cachées et délictuelles, comme du sabotage, du vandalisme, du vol, etc.

Principales aires associées aux actes délictueux

La frustration liée à l'apparition d'activités illégales au travail se produit dans les zones personnelles, sociétales et organisationnelles. Ces dernières seront exposées plus en détail.

a) Dans la zone personnelle, les raisons motivant l'activité délictuelle de l'individu sont teintées de sa personnalité ainsi que de divers aspects sociaux. Soulignons aussi que, dans leurs mécanismes de sélection de personnel, les organisations consultent souvent les antécédents de leurs candidats afin de vérifier s'ils n'ont pas des tendances criminelles. Kaskell (1981), à la suite d'une étude auprès de 100 collets blancs accusés de crimes, observe que les raisons pour lesquelles ceux-ci volaient sont: le jeu, l'alcool, un niveau de vie au-dessus de leurs moyens financiers, des problèmes conjugaux et des dettes.

b) Dans l'aire sociétale, citons, entre autres, les problèmes économiques, l'inflation et le haut taux de chômage (Rock, 1986), le taux élevé d'imposition ayant pour effet une réduction importante du salaire net, la publicité, qui suscite de nouveaux désirs de consommation (Kaskell, 1981, Britton, 1981), et, enfin, les pertes en Bourse ou les dépenses élevées liées à la consommation de drogues (Kennish, 1985). Un cas cité par Burton (1983) permet de constater que la récession économique de 1980 à 1983 a contribué de façon majeure à l'augmentation du vol par les employés dans l'industrie du bois. Ces derniers, qui subissaient un surplus de tâches sans augmentation salariale correspondante, utilisaient divers matériaux de construction pour faire du travail au noir.

c) Pour ce qui est de la zone organisationnelle, les recherches (Rock, 1986) ont démontré que le nombre d'individus commettant des actes criminels pour des raisons personnelles est moindre que ceux qui le font pour des motifs organisationnels. Le tableau 4 présente les principaux facteurs organisationnels impliqués dans les actes délictueux au travail.

Tableau 4.   **Causes organisationnelles reliées aux actes délictueux**

Climat de travail jugé insatisfaisant

Contenu des tâches

Règlements

Leadership

Pressions, stress

Salaire jugé inadéquat

Injustice

Environnement physique et motivation

Changements organisationnels

Dans plusieurs cas, la délinquance commise par un employé correspond à un désir de vengeance contre son employeur. Cette activité s'explique par une insatisfaction de l'employé pour diverses raisons: la pression exercée sur lui par les autres employés, le défi de combattre son employeur, la corruption de l'environnement de travail, où dans certains milieux voler est une façon de vivre valorisée par le groupe de référence, et la pression causée par le syndicat. Richer (1985) affirme, en décrivant le portrait type du «voleur organisationnel», que les membres d'une organisation sont plus portés à voler lorsqu'ils se sentent exploités par leur employeur ou qu'ils s'avouent insatisfaits de leur travail.

Les normes sont le ciment des groupes, Selon Bergeron *et al.* (1979), ce sont elles qui déterminent ce qui est permis ou pas et ce qui doit être respecté par les individus qui en font partie. Les groupes peuvent établir des normes qui soient ou non en accord avec les buts et les objectifs de l'organisation. Nous avons vu dans la théorie de Likert que, sous un climat autocrate, les groupes de travail (organisation informelle) vont chercher à réduire le contrôle de l'entreprise et, bien souvent, à s'opposer aux buts et aux objectifs de celle-ci. Par ailleurs, sous un climat participatif, les groupes de travail auront tendance à intégrer les objectifs et les normes formelles de l'organisation.

Taylor et Cangemi (1979) mentionnent que les groupes établissent des normes sur les objets qui peuvent être volés ou détruits. Si l'individu dépasse les normes de son groupe, il n'est plus protégé par ce dernier. Voici quelques exemples de normes informelles touchant le vol et, subséquemment, le vandalisme:

- les objets que l'employé peut voler pour son usage personnel;
- les objets qui ne nuiront pas au groupe de travail en attirant l'attention du supérieur;
- les machines/machines-outils, qui peuvent être mises hors d'état de service afin de ralentir la production pour créer plus de pression sur la direction;
- le type de bris à effectuer, de façon que les machines ou machines-outils soient récupérables et ne causent pas trop de préjudices à l'organisation et au groupe.

Tucker (1993) mentionne que les actes délictueux sont causés par l'environnement de travail. De la même façon, Kamp et Brooks (1991) et Jones et Terris (1991) ont observé que le vol dans les organisations avait un lien avec la perception d'un climat de travail malsain.

Les comportements des employés sont une conséquence directe de la façon dont ils sont traités (Frost *et al.*, 1974). Les vols et le vandalisme deviennent donc, bien souvent, une forme de protestation de la part des employés concernant la façon dont ils sont traités ou celle dont ils perçoivent être traités. Lawrence (1979) postule que des individus qui ne peuvent pas influencer leur environnement et qui ne se sentent pas impliqués finissent par démontrer des symptômes d'aliénation et d'impuissance. Les délits organisationnels augmentent lorsque les employés perçoivent leur climat de travail comme malsain, qu'ils se sentent pris dans un processus bureaucratique qui les aliène dans leur travail, et que finalement, ils perdent confiance dans le système.

L'implication d'un individu à l'intérieur d'une entreprise et par le fait même la perception d'avoir une influence quelconque dans l'organisation sont liées à l'interprétation psychologique qu'il donne aux situations où une certaine forme de participation lui a été demandée. Comme la perception du climat est affectée par des événements qui ont une signification et une importance particulière pour les individus, l'appréciation de la participation sera différente selon que l'on aura demandé à l'employé de participer aux achats des crayons ou à l'implantation d'une nouvelle méthode de travail dans son unité ou son département. Il faut aussi remarquer que plus l'emploi est complexe et non structuré, plus les employés ont l'impression d'être impliqués et d'avoir de l'influence.

Ainsi, tel que présenté à la figure 6, le fait de ne pas se sentir impliqué dans la vie de l'organisation et la frustration que l'on peut subir peuvent, séparément ou globalement, être à l'origine de comportements délictueux. Il faut noter que la non-implication est susceptible de frustrer un individu tout comme la frustration peut faire en sorte qu'un employé ne se sente pas, ou plus, impliqué dans son organisation. Plus un climat est perçu comme malsain, moins l'individu se sentira impliqué dans son travail. Il est important de remarquer que l'individu qui commet des actes délictueux ne ressent pas de culpabilité. Ces actes sont vécus comme un mécanisme pouvant compenser le fait de se sentir maltraité.

Prévention

Les observations démontrent que les délits organisationnels et les comportements antisociaux augmentent lorsque les employés perçoivent leur climat de travail comme malsain et qu'ils se sentent pris dans un processus bureaucratique qui les aliène dans leur travail. Mentionnons aussi l'augmentation du taux de vandalisme ou de vols survenant lorsqu'il y a des conflits de travail

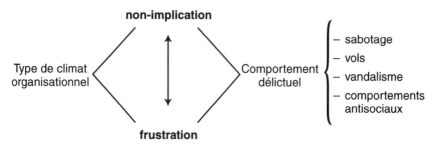

Figure 6. **Le climat organisationnel et les actes délictueux**

à l'intérieur d'une organisation et reliée à la dégradation du climat. La seule façon de rétablir l'équilibre et de contrôler de tels comportements est d'éliminer les causes de mécontentement, ce qui suppose parfois une modification en profondeur des composantes de l'organisation. Ainsi, on doit viser à établir un climat de travail le plus ouvert possible et dans lequel la confiance prévaut, en mettant surtout l'accent sur les points suivants:

a) Vérifier la définition des rôles de travail de façon à minimiser les sources de conflit et la frustration qui s'ensuit;

b) Laisser aux employés le contrôle de leur travail (mentionnons, entre autres, pour les cols bleus, la possibilité de décider eux-mêmes de la gestion responsable et du contrôle de leur matériel;

c) Faciliter l'exercice des plaintes par une amélioration de la communication ascendante, de façon à éviter que les employés ne s'en prennent aux biens de l'entreprise quand ils sont mécontents;

d) Donner plus de pouvoir et de responsabilités à l'employé dans l'exercice de son travail;

e) Porter si possible une attention particulière à la définition des plans de carrière des employés;

f) Avoir de la sollicitude pour les gens qui travaillent sous nos ordres;

g) Expliquer adéquatement les raisons des décisions et des procédures.

Les actes délictueux en milieu organisationnel sont des gestes qui ne peuvent être interprétés de façon isolée. Les employés réagissent à la perception qu'ils ont de leur environnement de travail. Plus cet environnement est frustrant, plus ils y répondront en adoptant des comportements défensifs. L'individu cherche une certaine équité face aux efforts qu'il met au travail et aux résultats qu'il obtient. Lorsque le climat de travail est perçu comme trop fermé, les employés ont tendance à compenser en volant ou en brisant des biens de l'organisation. D'autre part, plus le climat est ouvert et plus les employés se sentent impliqués et plus ils intègrent et respectent les biens de l'entreprise.

Il apparaît que, dans les organisations où le climat est perçu comme sain et ouvert, le vol et le vandalisme sont minimes. Dans un climat participatif et ouvert, les employés développent un sentiment d'appartenance à l'organisation et aux objets qui les entourent. Welsh et La Van (1981) ont démontré que le sentiment d'implication à l'intérieur d'une entreprise se retrouve dans les organisations qui ont un climat participatif, ou de type 4 selon la théorie de Likert. Le pouvoir exercé, l'équipe de travail et l'absence d'ambiguïté ou de conflits de rôle sont des dimensions importantes dans le sentiment d'implication. Ainsi, plus les employés s'identifient à leur entreprise, plus ils ont tendance à intégrer ce qui appartient à l'organisation. Le vol, le vandalisme et les comportements antisociaux deviennent alors des actes défendus et prohibés par les normes de groupe. D'autre part, lorsque le climat est mal perçu par les employés, ceux-ci développent des objectifs différents et divergents de ceux de l'entreprise, ce qui risque de produire chez eux un sentiment d'isolement, d'incompréhension et de détachement. Lorsqu'ils se détachent de leur organisation, les individus ne voient plus la relation entre leurs comportements et les objectifs de travail. Ils s'isolent et vivent une frustration et une hostilité qui ne peuvent, en général, être réduites que par les comportements antisociaux et les actes délictueux.

2.3.3 Syndicalisation et relations de travail

Selon De Cotiis et Le Louarn (1981), la syndicalisation n'est pas nécessairement un moyen absolu que les employés vont utiliser pour réduire leurs problèmes au travail. Pour être considérée comme un moyen de défense des intérêts des travailleurs efficace, la volonté de se syndiquer dépend:

a) de la perception qu'ont les employés de l'influence qu'ils exercent dans leur contexte de travail;
b) de l'importance qu'ils accordent à la syndicalisation comme moyen efficace d'influencer leur organisation.

La syndicalisation peut être vue dans une perspective instrumentale: la syndicalisation comme moyen d'atteindre ses objectifs. La figure 7 présente le modèle de syndicalisation de De Cotiis et Le Louarn (1981). Ces auteurs retiennent quatre dimensions importantes du climat de travail qui peuvent être considérées comme des facteurs prédisposant des employés à se syndiquer.

– l'autonomie: l'initiative et l'autonomie laissées aux individus dans l'exercice de leur travail;
– le soutien: le soutien qu'offre la direction aux employés;
– la reconnaissance: le type de reconnaissance exercée par l'organisation pour le travail bien fait;
– l'équité: le sentiment de justice et d'équité que les employés perçoivent de la part de l'organisation.

Dans une étude portant sur la tendance à la syndicalisation des professeurs d'université, Neumann (1980) a trouvé que la perception que ces derniers peuvent avoir du pouvoir ou de l'influence qu'ils exercent est un élément signifiant de leur désir de se syndiquer. Ainsi, les professeurs qui croient influencer grandement les décisions qui les concernent sont moins intéressés à se syndiquer comparativement aux autres professeurs qui déplorent leur manque d'influence. Plus le pouvoir de l'administration est centralisé et puissant, plus les professeurs sont enclins à se faire représenter par un regroupement qui ira revendiquer des relations égalitaires.

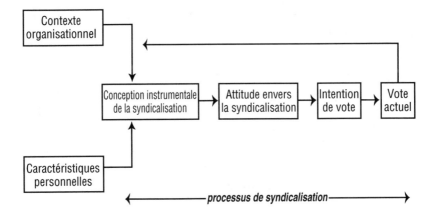

Figure 7. **Conception instrumentale de la syndicalisation**

Le climat organisationnel, de par la structure qu'il impose au travail et de par les possibilités de participation qu'il donne aux employés, peut jouer un rôle dans le désir de syndicalisation des gens qui le subissent. Lorrain et Brunet (1984), dans une recherche effectuée auprès de 625 cadres de premier niveau d'une entreprise de communication québécoise, démontrent que le climat organisationnel est en corrélation avec la perception de l'utilité d'un syndicat pour cadres. Plus le personnel cadre d'une entreprise perçoit son climat de travail comme étant froid, rigide et bureaucratique, plus il aura tendance à voir dans la syndicalisation un moyen attrayant et efficace de revendication pour résoudre les problèmes auxquels il fait face. Il est aussi intéressant de remarquer la relation existant entre le style de gestion des supérieurs et le militantisme syndical des employés. La perception instrumentale du syndicat est en relation avec la perception des comportements des supérieurs et principalement prédite par cette dernière variable. Par conséquent, si les employés cadres ont l'impression que leurs supérieurs ne leur font pas confiance ou se soucient peu de leurs opinions ou de leurs idées, ils auront tendance à percevoir d'une façon très avantageuse le rôle d'un syndicat visant à améliorer leurs conditions de travail.

De la même façon, nous avons vu comment les grèves et les griefs pouvaient être un signe de frustration et de non-implication au travail. Lorsque les employés sont syndiqués, la qualité des relations de travail est aussi influencée par le type de climat qui règne dans l'organisation. Un niveau trop élevé de griefs dans une entreprise ou un département n'indique pas seulement la possibilité d'une convention collective mal élaborée ou ambiguë mais aussi celle d'un malaise profondément ressenti chez les employés. Les griefs deviennent une méthode de contestation par excellence lorsque les individus se sentent opprimés, délaissés ou incertains. Cette forme de revendication constitue dès lors un moyen pour les employés de souligner leur présence auprès de la direction et d'exercer un certain pouvoir sur leur environnement. Tout compte fait, dans un climat de travail perçu négativement par les employés, la méthode des griefs permet d'exercer de la pression auprès de la direction par une pratique de harcèlement qui représente également un moyen de communication, un canal privilégié (quelquefois le seul dans une organisation) permettant aux individus d'exprimer leur mécontentement.

La syndicalisation et les griefs peuvent donc être vus comme des moyens que se donne l'employé pour s'assurer un contrôle sur son environnement.

2.3.4 Santé et sécurité au travail

Chaque année, les accidents au travail causent de nombreuses blessures et pertes de vie, sans compter les pertes matérielles et monétaires des entreprises et des travailleurs. L'accident peut être défini comme un événement non planifié qui interrompt une activité normale quelconque. Cet événement peut causer soit des dommages personnels (blessures), soit des dommages à la propriété, ou encore des dommages personnels (blessures) chez les autres compagnons de travail. On s'entend généralement pour dire qu'il y a deux grandes causes d'accident, externes et internes, qui sont:

1. Des conditions physiques, mécaniques ou chimiques dangereuses présentes sur les lieux de travail (causes externes);
2. Des comportements personnels dangereux (causes internes).

Parmi ces deux grandes causes d'accident, le climat organisationnel exerce une action sur les comportements susceptibles de provoquer un accident (causes internes). Nous avons vu antérieurement que le climat de travail influençait les comportements des employés. Outre des problèmes liés à des habiletés déficientes ou à des facteurs de personnalité rattachés à la prédisposition aux accidents, l'individu va être porté à agir en réaction à son environnement et ce lien, réaction-environnement, peut être cause d'accidents.

L'employé qui perçoit le climat de son entreprise comme malsain, fermé ou rigide développera une attitude négative face au travail qu'il effectue.

Les accidentés sont plus nombreux dans les organisations présentant des taux de mobilité peu élevés, de faibles chances de mutation ou de promotions; tout ceci peut amener le développement d'attitudes d'indifférence à l'égard du travail. L'accident est aussi fortement relié à la frustration de besoins, en particulier ceux portant sur l'accomplissement ou la maîtrise d'une tâche, l'autonomie et l'implication dans les prises de décision. La satisfaction de ces besoins implique non seulement la maîtrise ou l'accomplissement de soi-même, mais aussi un statut bénéficiant de reconnaissance (Maier, 1970).

Le climat de travail détermine aussi le niveau de risques auquel un employé peut s'exposer. Plus le climat est contraignant, plus l'employé est susceptible de prendre des risques inutiles, aveuglément, pour démontrer sa capacité au travail. Dans le même ordre d'idées, un tel climat est susceptible de provoquer un sentiment de frustration chez l'employé, soit parce qu'il se sent brimé, soit parce qu'il lui est difficile de supporter la tension de son atmosphère de travail. Ainsi, la vigilance, le degré de conscience et l'attention de l'individu sont généralement affectés par des changements dans la charge de travail et par la tension venant de l'environnement de travail. L'accident peut survenir parce que l'employé devient incapable de se concentrer et d'éviter les risques. L'individu peut aussi adopter des comportements agressifs et hostiles, rudes et brusques, qui sont susceptibles de dégénérer en accident, tout cela à cause de la frustration qu'il ressent. Le vandalisme et le sabotage risquent de blesser plus souvent qu'autrement ceux qui commettent ces actes.

L'importance qu'une organisation apporte aux programmes de santé et de sécurité au travail est un indicateur du type de climat qui est susceptible d'exister à l'intérieur de ses murs. Le climat d'une entreprise a tendance à s'humaniser au fur et à mesure que celle-ci s'intéresse à la sécurité et à la santé de ses employés; le climat ne devient plus seulement centré sur la production mais aussi sur les ressources humaines. Zohar (1980) expose une série d'observations qui lui ont permis d'identifier une dimension de sécurité à l'intérieur du climat d'une entreprise. Dans les organisations qui présentent des taux d'accidents très faibles, on observe que:

1. La direction se sent impliquée dans les programmes de sécurité au travail et accorde une importance particulière aux règles de sécurité, qu'elle considère comme une partie intégrale du système de production. Par ailleurs, dans les organisations caractérisées par un taux élevé d'accidents, c'est le contraire qui est observé;

2. Le personnel responsable de la sécurité a un statut très élevé et un programme de formation en sécurité est inclus dans l'entraînement initial de tous les employés;

3. Les réseaux de communications entre la direction et ses employés sont très bien articulés et souffrent peu ou pas du tout de distorsion;

4. La machinerie et les lieux sont très bien entretenus;

5. Le taux de roulement du personnel est très bas.

Selon cet auteur, le concept de sécurité en regard du climat implique que les employés aient une perception unifiée des aspects sécuritaires de leur environnement et de leur organisation et que ce concept doive être compris comme une composante des organisations industrielles.

2.3.5 Absentéisme et roulement

L'absentéisme est aussi lié très fortement à la perception d'un climat organisationnel malsain, fermé ou autocrate. Selon Bélanger (1977), l'absentéisme pour des raisons autres que la maladie est une forme de retrait temporaire et momentanée d'une organisation, une sorte de démission partielle et temporaire qui surviendrait lorsqu'un employé subit trop de pressions, de contraintes ou d'insatisfactions. Dans ces cas, l'employé aura tendance à se retirer pour quelques heures ou quelques jours de façon à reprendre son souffle et à réduire la tension.

Les employés qui ont tendance à s'absenter causent des problèmes énormes aux entreprises. En effet, celles-ci perdent momentanément une main-d'œuvre importante, ce qui bouleverse le rythme de travail, réduit ou modifie les tâches d'un département ou d'un groupe d'employés et entraîne des accidents ou des incidents, puisque ces absents sont souvent remplacés par du personnel moins expérimenté ou non expérimenté. Il apparaît évident qu'un taux élevé d'absentéisme est le reflet d'un malaise organisationnel grave.

L'absentéisme peut aussi être interprété en fonction du concept d'équité. L'employé en s'absentant cherche à récupérer ce que l'organisation ne lui a pas donné ou ce qu'elle lui a enlevé. Des recherches effectuées aux États-Unis (Ivancevich *et al.*, 1977) ont démontré que les organisations qui consultaient les employés et qui les faisaient participer aux décisions se rendaient moins impersonnelles à leurs yeux et avaient des taux d'absentéisme plus bas que les autres types d'entreprises moins ouvertes à leurs employés.

Les mêmes considérations touchant l'absentéisme peuvent être étendues au taux de roulement du personnel observé dans les organisations. Ainsi, les entreprises qui ont un climat autoritaire, fermé ou méfiant sont susceptibles d'enregistrer un plus haut taux de roulement que leurs homologues qui ont des climats plus participatifs.

La façon dont les rôles de travail sont déterminés dans une organisation est aussi une cause du taux de roulement. En effet, il existe généralement une relation très forte entre l'ambiguïté des rôles, la satisfaction au travail, l'anxiété, la tension vécue et le désir de quitter l'entreprise. Les employés qui perçoivent leur rôle avec ambiguïté et confusion vont dire que leur environnement organisationnel manque de clarté et de précision, qu'il est froid, impersonnel et conflictuel.

2.3.6 Perfectionnement des ressources humaines

Le perfectionnement en milieu de travail peut se définir comme un processus ou un ensemble d'activités dont le but est de développer les connaissances, les habiletés, les attitudes des travailleurs en vue d'une plus grande efficacité dans l'exercice de fonctions actuelles ou futures. Le perfectionnement est donc un processus d'apprentissage et de transfert de cet apprentissage en situation de travail. Très populaire depuis la Seconde Guerre mondiale, et vu même comme une panacée à tous les problèmes (Gauthier, 1998), le perfectionnement en milieu de travail demeure de nos jours très vulnérable et fait souvent l'objet des processus de rationalisation budgétaire. Cet état de fait n'est pas accidentel mais résulte plutôt d'une interrogation fondée sur laquelle se sont penchées la plupart des organisations à la fin des années 70. Quelle est la valeur et l'efficacité du perfectionnement? Parallèlement, de nombreux gouvernements ont adopté des lois rendant obligatoire l'affectation d'un certain pourcentage de la masse salariale au développement des ressources humaines.

Le processus d'apprentissage constitue un élément fondamental dans le perfectionnement. Pour que ce dernier soit efficace et que l'apprentissage soit optimisé, on doit prendre en considération les facteurs suivants:

1. L'apprentissage doit être rattaché aux demandes et aux objectifs de l'environnement de travail;
2. L'individu doit pouvoir appliquer dans son milieu de travail ce qu'il a appris durant le perfectionnement;
3. Le climat de travail doit renforcer et soutenir les acquis de l'individu de façon qu'il puisse les intégrer de façon durable dans son répertoire de connaissances et de comportements.

Apprentissage

De nombreuses définitions existent dans la documentation concernant ce concept fondamental qu'est l'apprentissage. Dans ce qui suit, on tentera d'apporter une définition succincte de l'apprentissage et de le replacer dans le contexte du transfert en milieu organisationnel.

L'apprentissage peut être défini comme étant toute modification relativement permanente du comportement qui résulte de l'expérience ou de la pratique. Il est important de noter ici l'existence de deux éléments fondamentaux dans le perfectionnement, c'est-à-dire un changement de comportement et la persistance de ce changement. L'apprentissage représente un vaste concept behavioral qui englobe le perfectionnement, l'acquisition des habiletés, la formation, l'éducation, le développement organisationnel ainsi que plusieurs autres processus de modification des comportements.

En étudiant la théorie du conditionnement opérant, il apparaît évident que le comportement des individus dans une entreprise est fonction des conséquences contingentes à son apparition. Pour ce faire, Murphy (1972) énumère une série de principes qu'il considère d'une importance vitale pour la réussite de tout programme de perfectionnement. Ces principes sont les suivants:

1. Le changement de comportement ne peut être accompli qu'en changeant les conséquences et leur relation de contingence avec le comportement en question;
2. Le responsable du perfectionnement doit déterminer les contingences de renforcement présentes dans l'environnement du participant;
3. Le comportement qui est suivi d'une conséquence renforçante est plus susceptible de se reproduire;
4. Le comportement qui a une conséquence aversive est moins susceptible de se reproduire;
5. Le simple fait de dire à l'individu qu'il a modifié son comportement dans la direction désirée est gratifiant pour lui;
6. Pour maintenir l'apprentissage, il faut que le renforcement soit contingent avec la réponse;
7. Pour que le transfert soit maximum, il faut que l'environnement organisationnel, dans son ensemble, fournisse à l'individu des éléments de renforcement;
8. Le comportement qui n'est pas renforcé va disparaître.

Ainsi, dans le conditionnement opérant, les conséquences positives d'une réponse constituent un élément primordial pour l'apprentissage de l'individu. Le climat organisationnel agit comme une source de renforcement des acquis d'un individu dans un programme de perfectionnement.

Ainsi, il est possible de voir à l'intérieur d'une entreprise, et dans le climat organisationnel en particulier, une multitude d'agents de renforcement. Le climat est composé d'un certain nombre de dimensions et celles-ci s'avèrent en elles-mêmes une source importante de renforcement. En effet, les dimensions, constituant le climat, régissent et sanctionnent les comportements des individus, collaborant ainsi à la perception du climat. Les dimensions peuvent fournir des renforçateurs sociaux très importants, dont, par exemple, la reconnaissance qu'un employé peut obtenir de ses camarades ou de son patron lorsqu'il fait du bon travail, les informations (*rétroaction* par la communication) qu'il peut recevoir à propos du progrès dans son travail, sa participation à la prise des décisions, la reconnaissance de son statut et de son identité, les chances anticipées de promotion ou encore une récompense monétaire. La dimension leadership joue également un rôle central dans la perception du climat. En d'autres mots, le patron est aussi un agent de changement et par le fait même une source de renforcement. La façon dont il administre les renforçateurs disponibles est une condition de base pour déterminer l'occurrence et l'orientation d'un changement.

La nature du renforçateur est aussi un élément extrêmement important. L'argent ou les récompenses monétaires sont utilisés trop fréquemment alors que d'autres renforçateurs seraient plus importants. On observe que les types de renforçateurs monétaires se retrouvent surtout dans les organisations qui ont des climats de type fermé. En tenant compte de l'évolution des connaissances sur la motivation au travail, on s'aperçoit qu'on ne peut se limiter à l'aspect monétaire pour motiver les individus et induire en eux un changement durable. De la même façon, l'usage de la punition pour un mauvais comportement, tel qu'on le voit souvent sous des climats fermés, peut provoquer du mécontentement, de l'insatisfaction, des comportements agressifs (voire délictuels) et une forte résistance au changement de la part des employés visés. Par contre, lorsqu'une erreur est envisagée, comprise et adoptée comme forme d'apprentissage, ceci peut alors favoriser la modification du comportement souhaité chez l'individu.

Le renforcement est un concept fondamental dans le perfectionnement. En effet, la modification d'un aspect comportemental d'un individu nécessite des renforçateurs qui vont lui permettre d'exercer efficacement ses nouveaux comportements et qu'il va retrouver dans son climat de travail.

Transfert de l'apprentissage

Ainsi, quand on parle de transfert d'apprentissage en perfectionnement, on le définit comme étant le degré auquel une activité apprise par la pratique devient une composante organisée d'une réponse unifiée, impliquant que l'apprentissage est une expérience unique qui devient plus complexe avec la pratique. Il est donc ici question de la problématique du transfert de l'apprentissage de la situation de perfectionnement à la situation de travail. Le climat de travail devrait permettre l'expression de nouveaux apprentissages. Quand ce n'est pas le cas, les individus qui ont suivi un programme de perfectionnement ne peuvent, de retour à leur travail, mettre en pratique ce qu'ils ont appris. Ou bien le contenu du programme leur est déjà familier, ou encore il ne s'applique en rien à leur travail, ou encore il ne sert aucunement à faciliter l'atteinte des objectifs organisationnels. On ne peut parler de réussite dans le perfectionnement à moins de pouvoir observer un transfert positif des acquis à la situation de travail.

Une des raisons sous-jacentes à l'échec d'un programme de perfectionnement est liée à l'absence de stimuli destinés à provoquer, en situation de travail, l'apparition des comportements appris. Les politiques de perfectionnement doivent être intégrées avec l'ensemble des composantes organisationnelles. Goldstein (1991) illustre bien cette problématique en traitant du climat de transfert et en soulignant l'importance de l'intégrer dans le processus d'analyse des besoins de perfectionnement. Selon ce même auteur, on doit tenir compte des éléments suivants en élaborant un programme de perfectionnement:

– Le programme de perfectionnement doit être vu comme un système unifié comprenant le formateur, le formé et son patron immédiat.
– Les attentes du formé et de son patron doivent être clairement établies avant le début du programme.

– Les obstacles qui risquent d'interférer avec le transfert doivent être ciblés et les stratégies pour les contrer doivent être établies.

– Du soutien doit être apporté au patron du formé afin de l'aider à fournir le renforcement aux nouveaux acquis de ce dernier.

Selon Savoie (1987), le transfert en milieu de travail des habiletés et attitudes acquises durant le perfectionnement s'opère sur deux plans: un plan stratégique et un plan technique. Sur le plan technique, il s'agit de l'application intégrale au milieu de travail d'un apprentissage effectué en perfectionnement ou l'adaptation au milieu de travail de ce même apprentissage. Que l'apprentissage ait été moteur, cognitif ou émotif, le transfert est favorisé lorsque, dans la situation d'apprentissage et dans la situation de travail, il y a similitude des contenus, des techniques, des principes sous-jacents, et compatibilité entre ces trois facteurs. Gauthier (1998) nomme aussi cette phase «transfert rapproché». Sur le plan stratégique, il s'agit d'assurer le transfert de l'apprentissage et, pour ce faire, il est essentiel que le milieu de travail constitue un environnement réceptif. C'est donc ici que le climat de travail prend toute son importance. Le climat devrait permettre l'expression des nouveaux apprentissages. C'est d'ailleurs lui qui détermine les comportements acceptés et défendus, de même que les contraintes dans le contexte desquelles ils doivent s'exercer. Souvent, les programmes et les politiques de perfectionnement ne s'avèrent d'aucune utilité s'ils ne tiennent pas compte du climat de travail. Dans certains cas, les individus qui ont suivi une session de perfectionnement ne peuvent, de retour à leur travail, mettre en pratique ce qu'ils ont appris.

Dans le cadre des théories behaviorales, l'environnement dans lequel se trouve un individu constitue un élément de première importance. Tracey *et al.* (1995) déplorent la rareté des recherches portant sur la relation entre l'environnement de travail et le transfert de l'apprentissage en formation. De telles recherches pourraient permettre de comprendre comment fonctionne la formation.

Pour que les apprentissages de l'employé soient profitables, à lui-même et à l'organisation, il faut tenir compte de trois types de facteurs:

- des facteurs d'ordre situationnel comprenant les connaissances et les comportements qu'il doit acquérir ou développer (l'activité même du perfectionnement);
- des facteurs d'ordre environnemental, tel le climat de travail qui règne dans l'entreprise avant, pendant et après ses apprentissages;
- des facteurs d'ordre individuel, qui portent sur sa volonté et sa motivation à changer.

Le rôle du climat de travail sur l'efficacité du perfectionnement correspond au postulat de Lewin (1951), lequel stipule que l'environnement est un facteur déterminant des comportements humains. D'ailleurs, Baldwin et Ford (1988) et Tannenbaum et Yukl (1992) mentionnent que le soutien venant du supérieur immédiat et le climat organisationnel sont les variables clés dans le transfert de l'apprentissage en formation. Selon Tannenbaum et Yukl (1992), l'environnement de travail dans lequel retournent les formés peut encourager, décourager ou annuler le transfert de l'apprentissage. L'être humain agit constamment avec son environnement et, comme la plupart de ses actions sont renforcées ou punies, il finit par se construire un répertoire de base qui lui permet d'équilibrer ses comportements avec son entourage. Ainsi, un employé qui perçoit le climat de son organisation comme fermé, autoritaire et dans lequel toute initiative individuelle est prohibée est susceptible d'adopter des comportements passifs pour éviter les réprimandes. Il attendra d'avoir des consignes spécifiques de ses supérieurs avant de prendre des décisions et il s'organisera pour s'impliquer au minimum dans les décisions. Un tel climat crée aussi une résistance au changement très forte chez les travailleurs. Ces derniers en viennent à développer des rituels et des habitudes qui s'avèrent très difficiles à modifier. Tout changement devient insécurisant pour l'employé qui n'a jamais appris à prendre des responsabilités et à exercer son autonomie et son initiative.

Un climat organisationnel qui incite l'individu à intégrer dans son travail les acquis de son programme de perfectionnement encourage l'individu à changer. Goldstein (1991) présente certains éléments environnementaux (voir tableau 5) qui devraient être pris en compte afin de s'assurer que le transfert de l'apprentissage soit le plus efficace possible lorsqu'on fait du perfectionnement de cadres.

Bref, il y aura transfert positif d'une activité à une autre s'il existe des composantes similaires entre les deux, même si l'activité totale est différente. Le supérieur immédiat du participant à un cours de perfectionnement peut faciliter ce processus en indiquant les possibilités de transfert ou en indiquant les composantes similaires entre une tâche déjà apprise et celle en voie de l'être. Le transfert du perfectionnement est plus grand lorsque le participant découvre dans son activité d'apprentissage des méthodes, des techniques ou des modes de pensée qui peuvent s'appliquer à d'autres activités. Ici, le supérieur immédiat doit faire tout ce qu'il peut pour s'assurer que ce perfectionnement recouvre les concepts de transfert ainsi que les habiletés qui sont requises dans la situation de travail du participant.

Réussite du perfectionnement en fonction du climat de travail

La dernière décennie a vu apparaître une multitude de formules pédagogiques, telles que l'informatique et les approches multimédias, propres à susciter l'apprentissage et les modifications comportementales chez des participants à des programmes de changement (perfectionnement et développement organisationnels). Sans vouloir dénigrer les formules pédagogiques utilisées dans les programmes d'intervention et de changement organisationnel, il apparaît d'ores et déjà qu'elles jouent un rôle de

Tableau 5. **Exemple d'éléments organisationnels à prendre en compte dans l'évaluation du climat de transfert (tiré de Goldstein, 1991, p. 526)**

CRITÈRES	CONSÉQUENCES
• Les cadres supérieurs doivent s'assurer que les cadres intermédiaires auront la possibilité de mettre en application le plus rapidement possible le fruit de leur perfectionnement.	• Les cadres supérieurs doivent renforcer les comportements des cadres intermédiaires.
• Les cadres supérieurs doivent s'assurer que les cadres intermédiaires partagent avec leurs collègues de travail leurs expériences de perfectionnement.	• Les cadres supérieurs doivent refuser de renforcer les actions ou les comportements des cadres intermédiaires qui ne seraient pas en relation avec ce qu'ils ont appris pendant leur perfectionnement.
• L'équipement utilisé pendant le perfectionnement doit être identique à celui utilisé sur les lieux de travail.	• Ne pas tolérer que des employés plus anciens ridiculisent les techniques enseignées dans le perfectionnement.
• Les cadres supérieurs doivent pairer le formé avec un travailleur plus ancien au moment du retour en milieu de travail.	• Les cadres supérieurs doivent féliciter les cadres intermédiaires qui mettent en application ce qu'ils ont appris à l'occasion du perfectionnement.
• Les cadres supérieurs facilitent le travail des formés afin qu'ils aient la possibilité d'utiliser leurs nouveaux acquis.	• Les formés qui utilisent leurs nouveaux acquis avec succès devraient recevoir des incitatifs monétaires.
• Le matériel du perfectionnement doit être disponible sur les lieux de travail afin d'offrir du soutien au transfert de l'apprentissage des formés.	• Les formés qui utiliseront leurs nouveaux acquis seront privilégiés à l'occasion de nouvelles assignations de travail.

second ordre dans les changements susceptibles de survenir au travail et sont souvent utilisées comme panacée. Il ne suffit pas de rendre les participants à un programme joyeux, fiers de s'être amusés et de ne pas avoir perdu leur temps pour produire une modification de comportement chez eux. Il faut non seulement qu'ils puissent utiliser ce qu'ils ont appris mais aussi qu'ils s'attendent, pendant le déroulement du programme, à pouvoir utiliser leurs nouveaux acquis (Goldstein, 1991). L'attente qu'un individu entretient face à l'utilisation de ses nouveaux apprentissages est motivante. Le comportement humain est fonction du processus interactif entre les caractéristiques d'une personne, telles que les valeurs, les attitudes et les besoins, et l'environnement dans lequel il évolue. Le climat a donc un double effet: sur l'apprentissage d'une part, en déclenchant un mécanisme d'ajustement chez une personne lorsqu'il y a un déséquilibre entre l'environnement et l'individu et, d'autre part, en accordant une valeur positive ou négative aux nouveaux comportements qui doivent être appris.

Cette orientation est maintenue par plusieurs chercheurs (Goldstein, 1974, 1991; Savoie, 1987; Golembiewski, 1970; Larouche 1984; Gauthier, 1998), qui affirment que tout programme de changement ou d'intervention doit aller de pair avec l'environnement de travail et non pas seulement avec les caractéristiques individuelles des participants. Le climat de l'entreprise détermine ce qui est plus ou moins permis ou valorisé et, conséquemment, facilite ou annule les efforts de perfectionnement. En effet, pour modifier le rendement d'un individu au travail, il faut traiter simultanément l'employé et le climat de travail dans lequel il œuvre.

Ceci revient à dire qu'il faut non seulement modifier les forces à l'intérieur de l'individu mais aussi celles de la situation organisationnelle dans laquelle l'individu travaille. C'est pourquoi on peut reprendre l'affirmation de Banh (1973) et parler de contre-formation lorsque ces variables sont négligées ou oubliées. Cette contre-formation serait une force venant annihiler ou bloquer les efforts mis dans le perfectionnement. Ceci ne signifie pas qu'il faille complètement laisser de côté l'importance des formules pédagogiques. Il faut plutôt souligner que des méthodes pédagogiques avancées doivent aller de pair avec des climats ouverts. C'est la raison pour laquelle la technique des groupes de croissance (*training-group*) est plus efficace dans les organisations qui ont un environnement dynamique que dans les autres dont l'environnement est plutôt rigide, stable et autoritaire.

Williams a introduit en 1970 la loi de l'espace de transfert organisationnel, présentée à la figure 8. Selon cette loi, un comportement acquis dans un environnement A et replacé dans un environnement B différent de l'environnement A risque fort d'être éteint. Ainsi, le taux de transfert augmente selon le degré de similitude entre la situation d'apprentissage et la situation de travail dans laquelle le nouveau comportement doit être utilisé, tel que mentionné précédemment.

Cette adéquation entre la situation d'apprentissage et la situation de travail est d'autant plus importante qu'elle produit chez les participants d'un programme de perfectionnement ou de changement une modification psychologique profonde dans

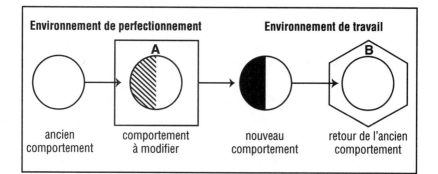

Figure 8.　　**Loi de l'espace de transfert de Williams**

leur façon de voir les choses. En effet, le simple fait de retirer des individus de leur travail et de les replacer dans une situation d'apprentissage produit chez eux une modification de leur structure de décision qui les rend plus critiques face à leur organisation. Sainsaulieu (1974) a défini deux phénomènes d'apprentissage distincts mais interdépendants chez les formés: une transformation mentale du sujet et une plongée dans un nouvel univers social de relations. Selon cet auteur, lorsque des travailleurs participent à un programme de changement ou de perfectionnement, ils subissent une expérience sociale, individuelle et collective qui les transforme. Malheureusement, le milieu de travail ne change pas toujours en vue de recevoir de tels individus transformés. Sainsaulieu (1974) qualifie d'effet de formation la déception des formés qui, dans leur milieu de travail, s'aperçoivent qu'ils ne peuvent pas utiliser ce qu'ils ont appris. Le désenchantement de ces individus est susceptible de se répercuter par des critiques ouvertes et acerbes du climat de leur organisation et par une baisse de rendement. Plus les objectifs du programme de perfectionnement sont consistants avec le climat organisationnel, plus le changement sera grand.

Il faut noter qu'il existe très peu d'études empiriques portant sur le climat organisationnel en tant que variable modératrice qui permettent d'expliquer le transfert d'un programme de perfectionnement ou de changement.

Buchanan (1964: voir House, 1972) rapporte les effets assez désastreux (suppression du programme, congédiement des formateurs) d'un programme de perfectionnement du type groupe de croissance *(training group)* dans lequel le climat organisationnel n'avait pas été pris en considération. L'auteur explique cet échec en stipulant que le style de leadership et l'approche des problèmes enseignés entraient en conflit avec ceux préconisés par la compagnie. Schein et Bennis (1965) rapportent aussi trois incidents dans lesquels les participants d'un cours de perfectionnement ont vu les conflits augmenter entre eux et les autres individus de leur organisation une fois revenus dans leur milieu de travail. En effet, ils furent confrontés avec des individus dont les valeurs et les attitudes étaient incompatibles avec celles qu'ils avaient acquises dans leur cours de perfectionnement. Dans le même ordre d'idées, Underwood (1965) rapporte une expérience intéressante dans laquelle une session de perfectionnement en relations humaines, plutôt que d'améliorer la qualité de la supervision des participants, a plutôt provoqué l'effet inverse (telle que mesurée par leurs employés). Selon cet auteur, les participants se sont trouvés face à un type de comportement qui n'était pas renforcé dans le milieu organisationnel. Banh (1973) va plus loin en affirmant que le fait de ne pouvoir utiliser de nouveaux comportements produit une frustration pouvant entraîner une régression dans le comportement au travail. Il rejoint ici les propos de Sainsaulieu (1974).

Évaluant un programme de perfectionnement universitaire, Lee et Dean (1971) concluent que, dans une perspective de transfert des apprentissages, la direction d'une entreprise doit être intéressée à la croissance personnelle de ses employés et fournir un environnement qui permet un tel changement.

Dans une étude qualitative effectuée en 1970 auprès de cadres intermédiaires d'une entreprise canadienne ayant suivi un cours de perfectionnement sur le leadership, Hercus rapporte que la majorité des cadres (10 sur 15) perçoivent que le cours n'a aucunement modifié leur rendement au travail. D'autre part, ces derniers reconnaissent que leurs connaissances et leurs habiletés en supervision se sont accrues mais se déclarent incapables d'appliquer leurs acquis dans leur milieu de travail. Ces empêchements semblent provenir, selon eux, du climat organisationnel de l'entreprise, de la multiplicité des paliers hiérarchiques, qui restreint leur champ d'action, de l'insuffisance de pouvoir sur leur emploi et des comportements de leur supérieur immédiat.

Steele *et al.* (1970) constatent les effets marquants de l'attente des futurs participants face à l'utilisation de nouveaux comportements. Évaluant un cours de perfectionnement dans le cadre d'une intervention en développement organisationnel, les auteurs rapportent que les attentes des individus face à l'application des principes du cours sont des facteurs importants de leur volonté d'initier des changements de retour au travail (mesurés avant le début du cours et 20 semaines après la fin du cours). Dans la même foulée, les résultats obtenus à l'administration du L.O.P. (*Leader Opinion Questionnaire*) à un groupe contrôle et un groupe expérimental de policiers ayant suivi un cours de perfectionnement en relations humaines ne relèvent aucune différence importante entre ces deux groupes (Lefkowitz, 1972). En effet, les participants ne voyaient pas l'utilité des principes qu'on leur enseignait et aucune mesure liée au climat de travail n'avait été prise pour faciliter l'intégration de ces nouveaux comportements.

En 1981, Brunet a étudié le rôle du climat organisationnel et celui du type de renforcement donné par le supérieur immédiat dans l'efficacité du transfert d'un cours de perfectionnement en gestion des ressources humaines. Pour ce faire, 76 cadres intermédiaires d'une université québécoise furent répartis en 3 groupes (2 groupes de contrôle et 1 groupe expérimental). Le climat organisationnel fut analysé en fonction de la théorie de Likert et en utilisant la version française de son questionnaire. Pour ce qui est du groupe expérimental, les résultats ont démontré que les participants classés sous le climat organisationnel de type participatif ont subi un transfert plus grand $(x<,01)$ que les participants classés sous un climat de type autoritaire. Il en ressort aussi que le climat organisationnel joue un rôle important dans le transfert des acquis seulement en ce qui concerne des apprentissages qui ont une composante purement organisationnelle et qui sont moins liés aux valeurs ou attitudes individuelles des participants.

Rouiller et Goldstein (1993) ont effectué une recherche auprès de 102 nouveaux gestionnaires inscrits à un programme de perfectionnement. Ils ont aussi interrogé leurs supérieurs immédiats et 297 collègues des formés dans 102 restaurants d'une chaîne américaine de restauration rapide. Leurs résultats démontrent que ce qu'ils nomment le climat de transfert est en relation avec le transfert de l'apprentissage. Quand le climat offre du soutien, le transfert est plus positif.

En 1995, Tracey *et al.* ont étudié l'influence du climat de travail et de la culture organisationnelle sur le transfert de l'apprentissage auprès de 505 nouveaux gestionnaires de supermarché provenant de 52 magasins différents. Cette étude ne comportait pas de groupe contrôle mais, selon les chercheurs, ceci n'invalide pas l'hypothèse de la relation entre le transfert de l'apprentissage et le climat et la culture organisationnelle. Les résultats indiquent que le climat et la culture influencent (x<,01) le transfert de l'apprentissage. La dimension soutien social du climat semble jouer un rôle central dans le transfert (r=,48 significatif à ,01).

Plus récemment, Gauthier (1998) a évalué un programme de perfectionnement offert à 65 employés de magasins d'alcool et spiritueux. L'étude consistait à évaluer le rôle de l'implication au travail et du climat (mesuré selon le questionnaire L.O.P. abrégé de Likert) dans le transfert de l'apprentissage chez les formés de retour dans leur milieu de travail. Les résultats démontrent que la perception du climat organisationnel chez les formés, plus que le degré d'implication à l'emploi, influençait le transfert de l'apprentissage (x<,05).

En conclusion, bien que les recherches portant sur la relation entre l'environnement de travail et le climat ne soient pas légion, il semblerait que le climat de travail puisse expliquer une partie du transfert de l'apprentissage entre le lieu de perfectionnement et le milieu de travail. On pourrait ainsi émettre les propositions suivantes:

1. Ce qui motive un employé à utiliser ses nouveaux acquis dépend de la perception qu'il a de la possibilité de les mettre en pratique dans sa situation de travail;
2. La motivation à apprendre chez un employé ne dépend pas seulement de ses aptitudes personnelles mais aussi de l'influence de son climat de travail;

3. Le perfectionnement doit être vu dans le cadre d'une approche globale pour l'organisation où le participant, l'organisation et le centre de perfectionnement sont responsables du succès du programme.

2.3.7 Engagement envers l'organisation

S'assurer l'appui, la loyauté et l'attachement du personnel est devenu une préoccupation de plus en plus répandue dans les entreprises contemporaines (Schein, 1983). Luthans et Martinko (1987) concluent, à la suite de leur étude interculturelle, que l'engagement envers l'organisation constitue un enjeu de premier ordre pour toute entreprise soucieuse de la loyauté de ses effectifs et de leur rétention. Et une des questions à la clé de ces constatations porte sur les conditions d'émergence et de maintien de l'engagement des employés envers l'organisation. Il existe deux écoles de pensée relatives à l'engagement envers l'organisation: une approche dite instrumentale et une autre qualifiée d'attitudinale.

L'approche de Becker (1960), communément appelée *Side-bets theory,* préconise que l'engagement résulte des investissements qu'un individu accumule dans l'entreprise. Selon cette approche coûts/bénéfices, l'acteur évalue, en termes d'avantages sociaux, d'habiletés utilisables, de réseau social, etc., les coûts associés à son départ de même que les gains résultant de son insertion dans une nouvelle organisation. Plus les investissements et retours sur investissements se sont accumulés, plus il devient coûteux pour l'acteur de se désengager (Becker, 1960) et cette spirale s'accentue à mesure que se réduisent ses possibilités d'accès à d'autres organisations. Cette notion de l'engagement, également appelée *continuance commitment* par Meyer et Allen (1989), reflète la conception instrumentale de l'échange entre l'individu et l'entreprise.

L'approche attitudinale propose au contraire une notion de l'engagement dénuée d'utilitarisme et composée de trois volets: une identification, de nature normative, à la mission et à la philosophie de l'organisation; un sentiment d'appartenance envers l'organisation, donc une composante affective; et une composante comportementale ayant trait au degré d'implication dans l'atteinte des objectifs de l'organisation. Ainsi, Wiener (1982) considère l'engagement comme un processus motivationnel normatif où l'acteur intègre les normes et valeurs de l'organisation. Deux facteurs seraient déterminants pour susciter l'engagement: le degré de valorisation *a priori* de la loyauté et du devoir, auquel cas l'acteur éprouve une obligation morale envers son employeur; le degré d'accord axiologique avec la mission, les buts, les politiques, la philosophie de l'organisation, auquel cas il y a identification à cette dernière. Salancik (1977) décrit l'engagement comme un processus issu de l'action et s'appuyant sur le principe de la dissonance cognitive. C'est en émettant des comportements qu'un individu se lie graduellement à l'organisation. L'intensité de l'engagement variera selon le degré auquel le comportement est observable, irréversible, volontaire et public.

Savoie (1992) rapporte la recherche suivante: l'entreprise cible de l'expérimentation compte 20 000 employés, dont 1 948 cadres. Avec un taux de retour de 63,0 %, les 1 233 cadres qui ont répondu au questionnaire se sont avérés représentatifs de la population totale d'encadrement en regard du sexe, de l'âge, des paliers hiérarchiques, des années de service et même de l'unité administrative d'appartenance. La représentativité de l'échantillon était essentielle dans cette recherche. En plus des données sociobiographiques susmentionnées, les chercheurs ont utilisé quatre questionnaires, c'est-à-dire, le lieu de contrôle interne-externe (Pettersen, 1985), l'attitude de confiance/méfiance (Lesage et Rice-Lesage, 1986), la réaction envers la direction, l'engagement envers l'organisation (Porter *et al.* 1974); traduction française validée par (St-Pierre, 1986) et un indice objectif de succès professionnel (Vaillancourt, 1985).

Au vu des résultats, on ne s'étonne plus que les variables sociodémographiques tels l'âge, les années de service, le palier hiérarchique, la scolarité et le salaire n'apportent pas d'éclairage signifiant sur le phénomène de l'engagement lorsque la population totale (basée sur un échantillon représentatif) est prise en compte. Tout au plus dans certaines tranches spécifiques d'une population observe-t-on des différences statistiquement importantes, mais sans signification organisationnelle.

Le succès professionnel, mesuré par le rapport salaire/âge multiplié par le nombre de promotions, tout comme le nombre de promotions lui-même ne sont pas étrangers à l'engagement. Ces liens, quoique de faible intensité, appuient la théorie de Becker à l'effet que l'engagement est associé aux bénéfices que l'individu a accumulés dans l'organisation. Toutefois, cette variable n'a pu s'immiscer de façon importante dans l'équation de régression.

L'attitude généralisée de confiance/méfiance est liée à l'engagement et fait même partie de l'équation de régression prédisant l'intention de maintenir l'effectif de l'entreprise (*attachment*). Il est rare que des variables psychologiques individuelles soient associées à l'engagement organisationnel. Ce résultat suggère que l'engagement envers l'organisation n'est pas qu'une réaction à la façon dont on perçoit être traité mais qu'il est également modulé par l'attitude fondamentale de l'individu en termes d'ouverture/fermeture envers autrui.

Le concept d'internalité-externalité tel qu'opérationnalisé par Pettersen constitue une mesure du degré d'influence ou de contrôle que l'acteur s'attribue sur la venue de récompenses/punitions au travail. La découverte d'un lien d'une intensité moyenne entre I/E et E/O renforce sérieusement l'hypothèse que le sentiment de contrôle et de maîtrise des renforçateurs au travail fait partie des variables rehaussant l'engagement envers l'organisation. Selon la conceptualisation de Lawler (1986), c'est l'appropriation des sources d'information, de prise de décision, de récompense, de contrôle et d'exploitation de ses habiletés qui est à l'origine de la mobilisation.

Néanmoins, le meilleur prédicteur (considéré isolement) pour susciter l'engagement envers l'organisation, est la confiance comportementale que le cadre accorde à ses supérieurs et dirigeants comme le mesure l'instrument «réaction envers la direction». Cette confiance émane de la compréhension, de l'équité, de l'aide, de l'ouverture, de la compétence manifestées par le supérieur et perçues par le cadre. Plus que le succès, plus que les attitudes de base face à la vie, c'est la façon dont les cadres sont considérés et traités qui explique le mieux leur engagement envers l'entreprise. Le fait que cette identification et cet attachement à l'organisation soient davantage liés aux conduites et aux politiques des personnes en autorité renforce l'hypothèse que l'engagement s'établit dans le cadre d'une relation d'échange où la monnaie d'échange n'est pas tant les acquis matériels, comme le supposait Becker (1960), mais plutôt le respect, l'appréciation et la confiance comportementale, variables psychologiques s'il en est.

Toutefois, c'est la prise en compte simultanée de la réaction envers la direction et du contrôle exercé par l'employé sur les renforçateurs qui affichent la combinaison gagnante comme prédicteur de l'engagement envers l'organisation. Comme ces instruments mesurent les pratiques interpersonnelles mobilisatrices des dirigeants et le degré d'influence que l'employé se reconnaît sur sa vie organisationnelle, les résultats de la recherche supportent les allégations des théories contemporaines de *employee involvement* (Mohrman *et al.,* 1986) et d'habilitation (Lawler, 1986). Ces théories prétendent que le harnachement des énergies du personnel se réalise surtout par l'appropriation par l'employé de son travail et du contexte qui s'y rattache et par des pratiques de gestion fondées sur la confiance active qui impliquent l'employé envers son unité et son organisation. Comme la confiance est un élément important du climat, ce dernier est donc un déterminant important de l'engagement.

2.3.8 Satisfaction et rendement

Le climat organisationnel a aussi un effet direct sur la satisfaction et le rendement des individus au travail. Selon Larouche et Delorme (1972), la satisfaction au travail est «une résultante affective du travailleur à l'égard des rôles de travail qu'il détient, résultante issue de l'interaction dynamique de deux ensembles de coordonnées, nommément les besoins humains et les incitations de l'emploi.» (p. 595). Pour Fourgous et Iturralde (1991), la satisfaction au travail résulte d'une comparaison entre ce que l'individu a et ce qu'il veut, soit parce que cela lui paraît équitable, soit parce que cela lui paraît désirable ou représente pour lui une valeur. Lorsqu'un employé peut retrouver à l'intérieur des composantes d'une organisation une adéquation ou une réponse à ses besoins, alors on peut postuler qu'il sera satisfait.

De nombreuses recherches ont démontré un lien entre le climat et la satisfaction. Déjà au début des années 60, Vollner (voir Forehand et Gilmer, 1964) démontrait que l'environnement organisationnel sous-jacent aux conditions de travail des chercheurs scientifiques avait un effet sur leur satisfaction et leur productivité. Ils sont plus satisfaits lorsqu'ils travaillent dans un environnement non structuré, coopératif et où leurs rôles sont définis sans ambiguïté. Par conséquent, la satisfaction au travail varie souvent selon la perception du climat organisationnel par l'individu.

Les principales dimensions du climat impliquées dans cette relation sont les suivantes:

- les caractéristiques des relations interpersonnelles entre les membres de l'organisation;
- la cohésion du groupe de travail;
- le degré d'implication dans la tâche;
- le soutien au travail fourni par la direction.

Étudiant la relation entre le climat et la satisfaction chez des infirmières et les administrateurs d'un hôpital, Lyon et Ivancevich (1974) concluent que les dimensions du climat qui

111

influencent la satisfaction au travail sont différentes chez les deux groupes étudiés. L'impact du climat sur la satisfaction varie avec les dimensions du climat et le type de satisfaction observée. Pour les deux groupes de travailleurs étudiés, le climat a un effet sur l'actualisation de soi, un résultat moins fort sur l'autonomie et une conséquence moindre sur l'estime de soi. Dans le même ordre d'idées, La Follette et Sims (1975) ont étudié la relation entre le climat organisationnel, la satisfaction au travail et le rendement chez 1 161 employés d'un hôpital. En fonction des dimensions définies par Litwin et Stringer (1968) et présentées antérieurement, les résultats démontrent que la satisfaction est reliée à toutes les dimensions du climat et que le rendement au travail (mesuré par l'évaluation du rendement fait par le supérieur immédiat) est relié à plus de 60 % de ces dimensions.

Dans leur comparaison du climat organisationnel de 21 entreprises de recherche comprenant un échantillon de 117 gestionnaires et de 291 scientifiques, Lawler *et al.* (1974) démontrent que la structure organisationnelle a peu de relations avec le climat tel que perçu par les scientifiques. Par contre, la plupart des variables du processus organisationnel ont une relation importante avec le climat. Plus le climat est perçu comme dynamique, plus le rendement de l'organisation est supérieur et plus la satisfaction du personnel est élevée. Ils observent aussi une relation importante entre le climat de travail et la satisfaction des besoins supérieurs (estime de soi, autonomie et accomplissement). Selon ces résultats, la structure ne joue pas un rôle si important dans le climat, alors que les facteurs qui touchent la vie quotidienne d'une personne au travail influencent beaucoup plus la perception du climat. Ainsi, le style de leadership du supérieur immédiat, les comportements de groupe, les tâches ayant un effet sur la vie organisationnelle des employés influencent directement la perception du climat. Putti et Kheun (1986) ont également démontré que la perception du climat organisationnel avait une relation avec la satisfaction au travail.

Une des critiques fréquemment formulées envers le climat organisationnel porte sur le recoupement de ce concept avec celui de la satisfaction au travail. Plusieurs chercheurs (Friedlander et Margulies, 1969; Johannesson, 1973; et Steers, 1977) postulent que le concept de climat est synonyme de satisfaction au travail, d'autant plus que les instruments de mesure utilisés pour ces deux concepts portent sur des perceptions venant des personnels concernés et que les sentiments influencent les perceptions. Toutefois, une telle affirmation peut facilement être critiquée. Si un tel recoupement peut exister, c'est qu'il est lié à des instruments de mesure inadéquats ou à une mauvaise utilisation des instruments de mesure. En effet, des chercheurs ont même construit, dans le passé, des questionnaires de climat organisationnel en utilisant des énoncés venant de questionnaires destinés à mesurer la satisfaction, voire le leadership. Ils se sont aussi servis de méthodologies de recherche identiques à celles utilisées dans les études de satisfaction – «Décrivez votre situation de travail». Notons aussi que l'aspect de la désirabilité sociale semble quelquefois très apparent dans ces recherches. Finalement, selon Laflamme (1994), «satisfaction et climat peuvent être différenciés, d'abord conceptuellement puis empiriquement, sans pour cela signifier qu'il n'existe aucune relation entre eux» (p. 14).

En plus de la satisfaction, le rendement est aussi influencé par le climat. En effet, le rendement au travail est fonction des capacités d'un individu et d'un climat organisationnel qui permet l'utilisation des différences individuelles. Cependant, l'effet du climat est moins important sur le rendement que sur la satisfaction, comme l'ont démontré plusieurs études. Plusieurs facteurs personnels et difficilement isolables sont impliqués dans le rendement observé chez des employés. Ceci revient à dire qu'il est difficile d'isoler l'effet du climat et le rôle des aptitudes, habiletés ou motivation dans la productivité d'un individu. Néanmoins, les recherches entreprises par Bowers (1977) et Likert (1961, 1967) ont quand même démontré que les organisations hautement productives se caractérisaient généralement par un climat de participation assez élevé. De la même façon, dans l'entreprise scolaire, des chercheurs (Ogilvie et Sadler, 1979; Stewart, 1979) ont révélé l'importance d'un climat organisationnel ouvert dans la réussite scolaire des étudiants et dans l'efficacité managériale des directeurs d'école. Le climat organisationnel serait particulièrement important dans le développement d'une synergie fonctionnelle chez les groupes enseignants et étudiants. Une recherche effectuée en laboratoire (Frederiksen, 1966) a même déjà indiqué que le type de climat induit pendant le passage d'un test de sélection «*in basket*» avait une influence importante sur la productivité des individus et que le rendement au travail variait aussi selon le degré de soutien que percevaient les sujets dans l'exécution d'une tâche.

2.3.9 Efficacité organisationnelle

Durant la décennie 1960-1970, le climat des organisations a soulevé un grand intérêt chez les chercheurs en éducation. Le milieu de l'éducation a même contribué à l'avancement de la compréhension du concept de climat. L'accent a surtout été mis sur les aspects techniques de mesure ainsi que sur le concept théorique lui-même. Certaines études ont été conduites en milieu universitaire, mais la plupart ont surtout porté sur les ordres primaire et secondaire en utilisant, la plupart du temps, le questionnaire de climat organisationnel de Likert (1972; version pour les écoles).

Selon Kampitz et Williams (1983), l'analyse de l'organisation formelle ne suffit pas pour comprendre de façon complète le vécu des organisations scolaires. Le climat organisationnel est un excellent indicateur de l'environnement interne. Les résultats de recherche de ces auteurs permettent de faire le lien entre la motivation des élèves et le climat de l'école. Dans le même ordre d'idées, McCormick *et al.* (1995) ont mené une étude originale en combinant les résultats d'un programme de prévention de la cigarette à l'école avec la perception du climat dans 21 circonscriptions scolaires, comprenant 50 écoles, 100 classes et 3 000 élèves de la Caroline du Nord. Leurs données démontrent qu'un climat organisationnel favorable à l'intérieur des écoles des circonscriptions scolaires améliorait l'implantation d'un tel programme.

Concernant l'efficacité du milieu scolaire mesurée selon les résultats des étudiants, plusieurs études tendent à démonter une relation avec la perception du climat. En effet, les écoles diffèrent d'une manière marquée, non seulement dans l'architecture, le statut socioéconomique des élèves et la compétence des enseignants, mais aussi dans l'atmosphère, le climat et la culture (Halpin et Crofts, 1963; Owens, 1970; Sinclair, 1970; Kalis, 1980). Cette différence affecte les résultats des élèves (Glasser, 1969; Madaus *et al.*, 1979; Stewart, 1979; Moos, 1979).

Halpin et Crofts (1963), pionniers de la recherche dans ce domaine, postulaient que l'analyse du climat peut constituer une meilleure dimension de l'efficacité d'une école que la plupart des autres mesures déjà utilisées en administration scolaire. Gibson (1974) démontre, dans une recherche effectuée auprès d'élèves de sixième année, que dans les écoles qui ont un climat participatif les étudiants obtiennent un résultat plus élevé aux tests d'accomplissement que ceux des écoles au climat plus autoritaire (voir Vallerand, 1993).

En 1971, Weber, utilisant une technique d'observation structurée, constate qu'un bon environnement de travail caractérisé par «une bonne structure d'autorité, une bonne définition des objectifs, des relations harmonieuses et le plaisir d'apprendre» (p. 26) joue un rôle important dans la réussite des élèves, mesurée par les tests d'accomplissement.

D'une autre façon, l'étude de Phi Delta Kappan (1980) portant sur l'efficacité scolaire en milieu urbain a adopté une perspective causale en reconstituant les événements antérieurs à l'analyse qui pouvaient être liés au succès actuel. Les résultats ont démontré que les facteurs de l'environnement scolaire qui sont les plus importants pour la réussite des élèves sont les attentes élevées de l'administration et des enseignants face au rendement des élèves (surtout en langues et en mathématiques);

le fait que les écoles insistent sur le développement de comportements de partage, d'aide et de politesse envers autrui; et, finalement, l'établissement d'un environnement physique sûr et agréable.

Plusieurs études ont été réalisées à l'aide du questionnaire de Likert, *Profile of a School*. Ainsi, Dow (1983) a étudié l'effet du climat organisationnel sur l'efficacité de 24 écoles primaires sur le plan du développement optimal des capacités humaines de l'élève. Ce critère d'efficacité était mesuré à l'aide du questionnaire de Stern et Walker (1973: voir Dow, 1983) intitulé *Classroom Environment Index* (CEI), qui fut administré à 561 élèves. Des résultats élevés aux facteurs de développement des élèves et des résultats peu élevés aux facteurs de contrôle des élèves obtenus à ce questionnaire indiquent la présence d'un environnement efficace. Les résultats de cette étude révèlent que les écoles qui obtiennent un score moyen s'approchant du système 4 (participatif) au questionnaire de Likert (administré à 288 enseignants) s'avèrent plus efficaces que les autres: ces écoles correspondant au système 4 présentent des scores élevés aux facteurs de développement des élèves et des scores peu élevés aux facteurs de contrôle.

Dans une étude effectuée en 1985-1986, Brunet *et al.* (1991) ont mis en relation le style de leadership des directions d'école et le climat organisationnel de l'établissement avec l'efficacité scolaire (mesuré par les résultats scolaires) auprès de six écoles primaires et de sept polyvalentes de la région de Montréal. Les résultats de cette étude démontrent que, dans les écoles primaires étudiées, le style de gestion des directions d'école serait une variable plus prédictive de l'efficacité scolaire que le climat organisationnel pris dans son ensemble. Il faut souligner que les écoles primaires sont, en général, de petits établissements comprenant peu de personnel. D'ailleurs, Mentz et Westhuzen (1993), dans une étude effectuée en Afrique du Sud auprès de 78 écoles, en viennent à peu près aux mêmes conclusions. Par contre, les données venant des écoles polyvalentes démontrent que le climat organisationnel s'avère un prédicteur important de l'efficacité scolaire. Les écoles les plus performantes ont un climat plus ouvert, caractérisé par les éléments suivants:

– Les décisions générales sont prises à la commission scolaire; pour des décisions plus spécifiques, voire scolaires et parascolaires, il semble y avoir consultation auprès de la direction, des enseignants et quelquefois des élèves mais leur influence demeure restreinte. Les enseignants estiment qu'eux-mêmes, la direction et les élèves devraient exercer une plus grande influence sur ces décisions et que le personnel de la commission scolaire devrait en exercer un peu moins;

– Le processus de contrôle des objectifs à atteindre par l'école est délégué aux échelons intermédiaires (direction, enseignants) et inférieurs (élèves, parents) avec un sentiment de responsabilité. Les objectifs fixés sont élevés;

– Il semble régner dans ces écoles un climat de confiance, de coopération, d'entraide et de soutien à tous les niveaux et une réceptivité assez grande aux idées et aux innovations des enseignants.

Une seule étude recensée présente des résultats quelque peu différents. Ainsi, à l'aide du questionnaire de Likert administré à 125 enseignants, Greenblatt *et al.* (1984) ont évalué la relation entre le type de climat de 20 écoles primaires et leur efficacité, déterminés par les comportements des enseignants reliés à la réussite des élèves. Ce dernier critère fut mesuré auprès d'un échantillon de 25 % des élèves, à l'aide du questionnaire *Our class and its work* de Eadh *et al.* (1980: voir Greenblatt *et al.*, 1984). Les résultats de cette étude indiquent que les écoles dotées d'un climat de type consultatif-centralisé ont un enseignement plus efficace et fournissent donc aux élèves un meilleur apprentissage que les écoles qui se classent dans les systèmes 1 et 4. En d'autres termes, pour inciter chez les enseignants des comportements qui favorisent la réussite des élèves, il est préférable, dans ces écoles, que les directeurs consultent avec soin leur personnel mais qu'ils prennent eux-mêmes les décisions.

2.3.10 Comportement éthique

Le comportement éthique est une thématique relativement nouvelle en administration. C'est un construit qui a émergé graduellement au fur et à mesure que les chercheurs se sont intéressés à l'étude du climat de travail, bien que les préoccupations concernant l'éthique en milieu de travail remontent au moins aux années 50 (Wimbush et Shepard, 1994). Le comportement éthique des membres d'une organisation émerge des perceptions, partagées par les employés, psychologiquement importantes et stables, à propos des pratiques et procédures existant dans leur organisation (Schneider, 1975). Wimbush et Shepard (1994) précisent qu'il s'agit de perceptions, basées sur des observations (et non des sentiments ou des attitudes), partagées par les membres d'un groupe de travail quant à la façon dont l'organisation ou le groupe de travail voit et résout des problématiques éthiques.

L'hypothèse qui sous-tend les études sur le comnportement éthique est que le climat induirait des comportements éthiques ou inéthiques (Wimbush et Shepard, 1994). L'employé agit en fonction du climat qui prévaut dans son groupe de travail ou dans son organisation. Il ajuste son style de vie et de réactions à sa perception des réalités de son milieu de travail. De plus, ces auteurs croient que le comportement éthique est influencé par les autres membres de l'organisation. Ainsi, le style de supervision influencerait le comportement éthique selon le modèle suivant:

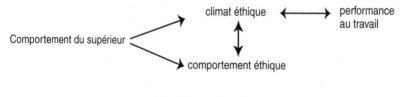

Modèle explicatif

118

Il existe deux grandes approches explicatives du fonctionnement du comportement éthique: les stades de développement du jugement moral de Kohlberg (1969) et la source du referent éthique de Gouldner (1955).

Kohlberg (1969) a déterminé trois grands stades de développement de jugement moral chez tout individu:

- la moralité préconventionnelle: Les récompenses et les punitions délimitent les notions de bien et de mal. L'individu obéit par crainte de la punition ou par la recherche de récompenses (hédonisme);
- la moralité conventionnelle ou adaptation aux attentes sociales et respect des règles établies. La personne désire surtout être bien vue des autres ou se préoccupe surtout du respect des règles sociales et de l'autorité (régulation sociale);
- la moralité postconventionnelle ou jugement moral autonome. La personne prend conscience de la relativité de certaines règles, ce qui fait que la morale peut se trouver quelquefois en contradiction avec la loi (autorégulation).

Le construit du cosmopolitisme (Gouldner, 1955) précise trois sources majeures ou référents pour l'individu qui adhère à un comportement acceptable et à celui qui est inacceptable:

- l'individu: La base des décisions vient de l'individu (exemple: ses croyances morales personnelles): P
- local: La source des définitions et attentes éthiques vient de l'organisation (pratiques de l'organisation): EI
- cosmopolitain: Source externe à l'individu et à l'organisation (association professionnelle): EE

Dimensions du climat éthique

Victor et Cullen (1988), en intégrant les trois stades de la théorie éthique de Kohlberg aux référents de Gouldner, ont mis en évidence neuf dimensions couvrant théoriquement la totalité du concept des comportements éthiques. Parmi ces dimensions, cinq ont reçu un appui empirique et présentent donc une validité intéressante: assistance (soutien), règlements, loi et code, indépendance et instrumentalité.

1. Assistance: Les employés ont un intérêt sincère pour le bien-être de chacun des individus, qu'ils soient internes ou externes à l'organisation, en autant qu'ils puissent être affectés par leurs décisions éthiques.

2. Règlements: Les employés adhèrent strictement aux lois et consignes de l'organisation. Les règlements vont servir de guide aux employés dans leur prise de décisions éthiques.

3. Loi et code: Les employés adhèrent aux codes et régulations de leur profession ou de leur gouvernement pour maintenir leur effectif et le respect de leurs pairs.

4. Indépendance: Les travailleurs sont guidés par leurs croyances morales personnelles. Ils restent guidés par le soi pour autant que les autres dans l'organisation ou à l'extérieur ont peu ou pas d'influence sur leur prise de décisions éthiques.

5. Instrumentalité: Dans un climat éthique basé sur la dimension instrumentale, les membres de l'organisation s'intéressent, expriment leurs propres intérêts personnels d'abord et toujours, en excluant leur intérêt pour les autres qui pourraient être affectés par leurs décisions.

À notre connaissance, peu de recherches portent sur les relations entre le climat et le comportement éthique. Plus encore, une plus grande compréhension de la multidimensionnalité du climat éthique pourra certainement faire avancer les connaissances sur le climat et la culture organisationnels en général.

Il existe peu d'instruments de mesure destinés à évaluer réellement l'aspect éthique d'une organisation. Celui qui est le plus souvent utilisé est le *Ethical Climate Questionnaire* de Victor et Cullen (1988; voir Cullen *et al.*, 1993). Ce questionnaire mesure les perceptions des répondants sur la manière dont les membres d'une organisation prennent des décisions concernant des événements variés, des pratiques et des procédures nécessitant un jugement éthique. Cet instrument de mesure, basé sur l'approche des stades de développement du jugement moral de Kohlberg (1969), cherche à inventorier les normes éthiques sous-jacentes aux prises de décisions organisationnelles.

Ce questionnaire permet de mesurer les sept niveaux éthiques de climat qui sont les suivants: intérêt personnel, efficience financière de l'organisation, relations d'amitié et formation d'équipes de travail, responsabilités sociales, moralité personnelle, règles et procédures d'exploitation, lois et codes professionnels.

Cullen *et al.* (1993) prétendent que la variation dans les perceptions de l'éthique du climat entre les différents groupes (unités ou départements) qui composent une organisation est plus grande que celle que l'on pourrait observer à l'intérieur même des groupes. La dimension éthique réfère à des normes de comportement qui sont inspirées des systèmes normatifs généraux qui, étant connus par les membres d'une organisation, peuvent être perçus en tant que climat de travail.

2.3.11 Stress au travail

Il existe peu d'études empiriques permettant de faire le lien entre la perception du climat organisationnel et le stress ressenti par les membres d'une organisation. Cet état de fait est aussi déploré par Sauter et Murphy (1995) dans leur livre *Organizational Risk Factors For Job Stress* bien que l'on sache que l'environnement est fortement mis en cause dans le stress. Selon Savoie et Forget (1983), il est question de stress lorsque la demande de l'environnement diffère des capacités d'adaptation de l'individu et aussi lorsque ce dernier accorde de l'importance au fait de rencontrer ou non les exigences de son milieu.

Selon Michela *et al.* (voir Sauter et Murphy, 1995), l'approche du climat est intéressante pour comprendre les conditions organisationnelles et le stress au travail. D'une façon générale, selon ces auteurs, les théories sur le stress affirment que l'environnement est une cause importante de stress et que les caractéristiques d'une personne interagissent avec la situation dans le processus général de stress. La conception du climat organisationnel fournit une approche intéressante pour comprendre les composantes expérientielles et perceptuelles liées aux interactions avec l'environnement. Ainsi, le stress que vit un individu est lié à l'interprétation qu'il donne à un environnement de travail ou plus spécifiquement au climat.

Lorsqu'un individu vit dans un climat qu'il perçoit comme restrictif et contraignant ou encore trop contrôlé et où sa participation n'est pas jugée essentielle et reconnue, il aura tendance à développer un syndrome d'inefficacité (Likert, 1967) et, par le fait même, à vivre du stress. Ainsi, McNeely (1983) insiste sur la nécessité de créer des conditions organisationnelles humaines afin de réduire les conditions de stress et de l'épuisement professionnel (*burn-out*). Goens et Kuciejczyk (1981) soutiennent que les supérieurs peuvent contribuer à créer ou réduire les conditions de stress selon les stratégies de gestion qu'ils adoptent.

Jacob (1979) a aussi défini d'autres sources importantes de tension qui font partie du climat organisationnel:

- les relations interpersonnelles avec les supérieurs, les confrères de travail et les subalternes caractérisées par l'absence de confiance mutuelle, le peu de soutien et généralement le manque d'intérêt;
- la structure organisationnelle: restrictions budgétaires, leadership autocratique, politiques internes restrictives;
- l'incapacité à établir des frontières entre la vie personnelle et la vie professionnelle;
- la capacité personnelle de vivre avec le facteur temps: échéanciers, interruptions, surestimation du temps.

En 1984, Archambault *et al.* ont effectué une recherche auprès de 200 directions d'école au Québec et observé que la perception du climat organisationnel pouvait être associée à certaines manifestations du stress. Le climat organisationnel était mesuré par le questionnaire L.O.P. de Likert (1974), et l'anxiété comme élément de stress par l'instrument de Koff *et al.* (1981). Les résultats démontraient que les directions d'école qui percevaient leur climat de travail comme moins ouvert vivaient plus de tensions (p ≤ ,05) que leurs homologues qui considéraient leur climat comme étant participatif.

Michela *et al.* (1995) présentent une étude effectuée auprès de 266 enseignants de l'élémentaire au secondaire venant de 10 écoles différentes, réparties dans le district de Manhattan à New York, et visant à mesurer la relation entre la perception du climat organisationnel et le stress vécu au travail. Pour ce faire, ils ont utilisé le questionnaire de climat de Litwin et Stringer (1968) et une liste à compléter par les enseignants à propos de 14 symptômes couramment associés au stress. La figure 9 présente le modèle d'analyse du climat de travail et du stress de Michela *et al.* (1995).

Les résultats de l'étude de ces chercheurs démontrent (p ≤ ,05) que les enseignants qui perçoivent plus de contrôle sur leur travail sont moins stressés ou tendus et que moins les enseignants perçoivent du soutien et font confiance à leur environnement,

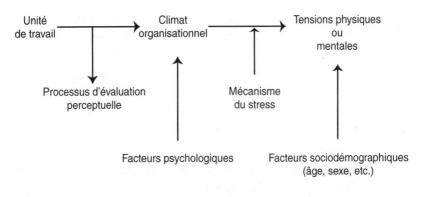

Figure 9.   **Modèle d'analyse du climat de travail et du stress de Michela *et al.* (1995)**

plus ils sont stressés. Ainsi, les individus qui vivent dans un climat fermé semblent surtout souffrir ($p \leq {,}05$) de maux de dos, de fatigue et de sudation excessive. Bref, le climat organisationnel est un concept intéressant pour comprendre les conditions de travail impliquées dans le phénomène du stress.

Conclusion

Le climat de travail entretient des liens avec de nombreuses variables résultantes, que ces dernières soient de caractère organisationnel, groupal ou individuel. La caractéristique dominante de ces effets du climat de travail est la réaction *fight or flight* des acteurs concernés. En effet, le climat apparaît de plus en plus comme le meilleur prédicteur des comportements collectifs manifestant l'adhésion, l'engagement, le soutien et la défense envers l'organisation, le groupe ou l'emploi, tout comme ceux exprimant le désengagement, l'esquive, l'évitement et l'échappement à l'endroit de ces mêmes entités. Ainsi, toute préoccupation en regard de conduites répandues pro-organisationnelles ou anti-organisationnelles est probablement plus efficacement prise en compte par la filière climat que toute autre variable organisationnelle. Par contre, le climat de travail ne s'avère pas une piste prometteuse lorsque ce sont des conduites d'individus isolés qui sont l'objet de préoccupation. En effet, en fonction du cadre $C = f(P \times E)$, les comportements partagés collectivement sont forcément le produit d'un environnement commun sinon ils ne seraient pas collectifs. À l'inverse, les comportements vraiment limités à un individu sont vraisemblablement le produit des caractéristiques propres à cet individu.

Si on considère le climat sous l'angle de ces déterminants, on constate qu'ils sont peu nombreux ($N = 5$), que ce sont tous des variables indépendantes – modifiables seulement par l'organisation ou sa direction – et que quatre d'entre eux (la structure, l'équité des récompenses et des punitions, le leadership, les politiques et les règlements) sont particulièrement modifiables, à moins que des considérations politiques ou économiques s'y opposent.

Ainsi, les dirigeants sont théoriquement en mesure de modifier le climat de leur organisation. Paradoxe très humain, comme ils sont également impliqués dans le climat qui a cours, un changement de ce climat est souvent vu comme une remise en question, voire une contestation, de leurs pratiques. C'est pourquoi les consultants ont développé des approches indirectes permettant de changer quelque peu les constituants mêmes du climat sans trop confronter les pratiques managériales. C'est l'approche du compromis, dont il sera question au chapitre 4.

Quant aux constituantes du climat dans leur version la plus synthétique et parcimonieuse, elles sont également peu nombreuses: l'autonomie, l'autocontrôle, la qualité de l'environnement physique, la qualité des relations intergroupes, le système de mobilisation (information, identification, intéressement, habilitation). Leur caractéristique commune dominante est d'être chacune une manifestation concrète de la façon dont l'organisation traite son personnel. Puisque la façon de traiter le personnel est vécue par ce personnel comme étant l'expression concrète de la valeur qu'on leur accorde, on comprend aisément l'effet *fight or flight* du climat de travail sur les conduites collectives. Le chapitre 3 traitera abondamment des composantes du climat de travail.

Le lecteur aura sûrement noté qu'on a relativement peu traité des variables modératrices individuelles, telles la position dans l'organisation ou l'appartenance professionnelle. Ces variables sont importantes en ce sens qu'elles modèrent pour le sous-groupe concerné l'effet collectif pro-organisationnel ou antiorganisationnel du climat, mais elles ne l'inversent généralement pas.

Ainsi le climat de travail s'avère la voie royale du changement organisationnel pour tout spécialiste des sciences sociales et humaines.

Chapitre 3

Constituantes et mesures du climat

Mentionnons d'entrée de jeu qu'il est possible d'avoir une appréciation du climat en examinant les bilans financiers et humains d'une organisation. Ainsi, plus une entreprise aura un taux élevé de roulement ou bien d'absentéisme, plus on pourra faire l'hypothèse que le climat de travail qui y règne est néfaste. Cependant, la déduction basée sur cette seule mesure conduit généralement à des conclusions erronées, et ce, d'autant plus qu'elle ne correspond pas à la nature perceptive du climat. Les résultats observés peuvent ne pas être reliés au climat existant. Ce qui est important, c'est d'en arriver à connaître comment les employés vivent le climat de leur entreprise. C'est la perception des individus qui compte, la façon dont ils interprètent et analysent leur environnement. C'est seulement à cette condition qu'il devient possible de rattacher avec certitude les résultats observés au climat tel que perçu.

Ce chapitre présente les constituantes du climat, la problématique de la mesure du climat et les outils généralement utilisés dans les enquêtes sur le climat organisationnel.

3. Constituantes du climat

Nous avons vu précédemment que la définition la plus couramment acceptée du climat organisationnel est celle qui met en exergue la nature subjective des attributs organisationnels et qui stipule que la perception de l'individu porte sur une série de caractéristiques présentes dans l'organisation. Pour cette raison, les données de base utilisées par plusieurs chercheurs pour déterminer une taxonomie des facteurs du climat sont les perceptions individuelles des propriétés organisationnelles.

De même, comme l'organisation constitue en quelque sorte une micro-société (un système social) caractérisée par de nombreuses dimensions susceptibles d'affecter le comportement des individus, plusieurs facettes peuvent être incluses dans le climat organisationnel. C'est pourquoi ce qui fait la force d'un questionnaire sur le climat de travail est sa capacité de regrouper et de représenter les dimensions primordiales qui composent le climat. L'élément clé, à ce point-ci, est la saisie des perceptions individuelles des stimuli, des contraintes et des possibilités de renforcement jugés cruciaux par les individus.

Les différents chercheurs ayant abordé la mesure du climat par questionnaire ne se sont pas encore entendus quant au type de dimensions qui doivent être évaluées afin d'avoir une estimation la plus exacte possible du climat. Le tableau 6 présente un certain nombre de mesures spécifiques proposées par les chercheurs. D'un auteur à l'autre, le nombre de mesures spécifiques varie entre 2 et 11, ce qui est fort hétérogène. Par contre, plusieurs mesures spécifiques réfèrent à la même entité conceptuelle, de sorte que le nombre de composantes réellement distinctes se réduit à 11.

Le tableau 6 présente un inventaire des mesures spécifiques proposées par les 24 auteurs qui ont développé des instruments de mesure du climat de travail. Les mesures spécifiques de chaque instrument sont disposées graphiquement selon leur correspondance aux dimensions génériques déterminées par Brunet (1983) et par Roy (1984).

Tableau 6. Dimensions génériques et mesures spécifiques du climat organisationnel

Dimensions génériques	Payne *et al.* (1971)	Halpin et Crofts (1963)	Forehand et Gilmer (1964)	Likert (1967)	Litwin et Stringer (1968)	Meyer (1968)
1) Pratiques de gestion	1) Considération	1) Considération	1) Style de leadership	1) Méthodes de commandement 2) Prise de décision 3) Contrôle		1) Responsabilités
2) Soutien de la part des dirigeants	2) Contrôle				1) Soutien	
3) Motivation				4) Nature des forces de motivation	2) Récompense	2) Récompense
4) Qualité des relations au travail		2) Cohésion 3) Moral 4) Relations affectives patron/employés		5) Communication 6) Influence et interaction	3) Conflit	3) Conformité
5) Qualité de l'environnement immédiat de travail			2) Complexité de l'organisation			
6) Stratégies organisationnelles		5) Accent sur la production	3) Buts	7) Fixation des objectifs et des directives	4) Normes 5) Risques	4) Normes
7) Structure organisationnelle			4) Taille de l'organisation 5) Structure de l'organisation		6) Structure organisationnelle	
8) Préoccupations d'efficacité				8) Objectifs de performance et perfectionnement		
9) Attitudes valorisées		6) Engagement 7) Ouverture			7) Responsabilité individuelle	5) Esprit de travail
10) Caractéristiques de la tâche						6) Clarté organisationnelle
11) Autonomie au travail						

Auteurs

Tableau 6. **Dimensions génériques et mesures spécifiques du climat organisationnel** (suite)

Échelles/dimensions	Schneider et Bartlett (1968)	Friedlander et Margulies (1968)	Pritchard et Karasick (1973)	Lawler et al. (1974)	Gavin (1975)	Steers (1977)
1) Pratiques de gestion		1) Considération	1) Centralisation	1) Impulsivité		1) Centralisation du pouvoir 2) Ouverture et rigidité
2) Soutien de la part des dirigeants	1) Soutien par la direction	2) Accent sur la production	2) Soutien de la direction 3) Récompense			3) Reconnaissance et rétroaction
3) Motivation					1) Récompense	4) Renforcement
4) Qualité des relations au travail	2) Conflit	3) Confiance 4) Intimité	4) Relations sociales		2) Confiance et considération de la part des gestionnaires	
5) Qualité de l'environnement immédiat de travail	3) Intérêt aux nouveaux employés				3) Obstacles rencontrés	5) Sécurité et risques d'accident
6) Stratégies organisationnelles			5) Conflit contre coopération 6) Flexibilité/innovation 7) Ambition de l'entreprise	2) Pratique/concret 3) Risques	4) Risques et défis	
7) Structure organisationnelle		5) Entrave	8) Structure organisationnelle 9) Statut		5) Structure organisationnelle	6) Structure organisationnelle 7) Statut et morale
8) Préoccupations d'efficacité			10) Relations rendement/rémunération	4) Compétence/efficacité		8) Compétence et flexibilité organisationnelle 9) Formation et développement
9) Attitudes valorisées	4) Satisfaction	6) Esprit de travail 7) Engagement		5) Responsabilité individuelle	6) Esprit de travail	
10) Caractéristiques de la tâche						
11) Autonomie au travail	5) Indépendance des agents		11) Autonomie			10) Possibilités d'accomplissement

Tableau 6. **Dimensions génériques et mesures spécifiques du climat organisationnel** (suite)

Échelles/ dimensions	Auteurs					
	Joyce et Slocum (1979, 1984)	Nave (1986)	Kottkamp et al. (1987)	Jorde-Bloom (1988)	Sekarau (1989)	Docker et al. (1989)
1) Pratiques de gestion	1) Supervision directe	1) Pratiques de gestion	1) Direction	1) Prise de décision 2) Consensus sur les buts	1) Participation dans la prise de décision	1) Orientation vers la tâche
2) Soutien de la part des dirigeants			2) Soutien des enseignants	3) Soutien des superviseurs		2) Soutien
3) Motivation	2) Motivation à l'accomplissement	2) Motivation et moral		4) Système de récompense		
4) Qualité des relations au travail	3) Relations entre les pairs		3) Cohésion et intimité	5) Collégialité	2) Communication	3) Cohésion
5) Qualité de l'environnement immédiat de travail		3) Responsabilités et environnement de travail		6) Cadre physique	3) Stress	4) Pression du travail 5) Confort physique
6) Stratégies organisationnelles				7) Consensus sur les buts 8) Innovativité	4) Déontologie au travail	6) Contrôle 7) Innovation
7) Structure organisationnelle						
8) Préoccupations d'efficacité	4) Qualité de la gestion					
9) Attitudes valorisées		4) Attitudes organisationnelles à l'égard de la communication	4) Engagement 5) Frustration des enseignants			8) Implication
10) Caractéristiques de la tâche				9) Clarté		9) Clarté
11) Autonomie au travail	5) Autonomie			10) Croissance personnelle		10) Autonomie

Tableau 6. **Dimensions génériques et mesures spécifiques du climat organisationnel** (suite et fin)

Échelles/dimensions	Roy (1989)	Kays et De Cotiis (1991)	Day et Béderau (1991)	Ostroff (1993)	Savoie et al (1994)	Geer et al. (1995)
1) Pratiques de gestion	1) Contraintes imposées par l'organisation	1) Contraintes imposées par l'organisation	1) Responsabilités	1) Participation	1) Contraintes imposées par l'organisation	1) Gestion participative
2) Soutien de la part des dirigeants	2) Incitation au travail	2) Incitation au travail	2) Soutien 3) Récompenses		2) Incitations au travail	2) Soutien par le superviseur
3) Motivation				2) Récompense sociale 3) Récompense intrinsèque 4) Récompense extrinsèque		
4) Qualité des relations au travail	3) Relations intergroupes	3) Relations intergroupes	4) Cordialité 5) Conflit	5) Coopération 6) Chaleur/cordialité	3) Relations intergroupes 4) Relations patron/syndicat	
5) Qualité de l'environnement immédiat de travail	4) Environnement	4) Environnement			5) Environnement	
6) Stratégies organisationnelles			6) Standards 7) Risque	7) Croissance 8) Innovation		
7) Structure organisationnelle			8) Structure	9) Hiérarchie		
8) Préoccupations d'efficacité						3) Performance du groupe
9) Attitudes valorisées			9) Identité			
10) Caractéristiques de la tâche						
11) Autonomie au travail	5) Autonomie/considération	5) Autonomie/considération		10) Autonomie 11) Accomplissement	6) Autonomie/considération	

La description des dimensions génériques suit un ordre correspondant à la fréquence de mention chez les 24 auteurs.

1. *Pratiques de gestion* (21/24). Cette dimension générique inclut les pratiques d'organisation et de direction telles que perçues par les employés. Cette échelle est présente dans presque tous les instruments de mesure. Ces pratiques de gestion comprennent notamment le style de leadership, le contrôle, la considération, la centralisation ou la décentralisation de la prise de décision, la participation, la supervision, la responsabilisation, les contraintes imposées par l'organisation.

2. *Qualité des relations au travail* (18/24). Cette dimension recouvre tous les types de relations, d'échanges et de contacts qui s'établissent entre les acteurs d'une organisation. Qu'il s'agisse des relations interpersonnelles, des relations interdépartementales et intergroupes, d'échanges fonctionnels au travail ou de relations patronales-syndicales, la qualité de ces interactions se traduit par des appréciations en termes de cohésion ou de rapports conflictuels, de moral, de relations affectives et d'intimité, de cordialité et de confiance mutuelle, de relations statutaires ou collégiales.

3. *Soutien de la part des dirigeants* (14/24). La dimension «soutien» réfère explicitement aux conduites adoptées par les dirigeants pour assister les employés dans leurs tâches, pour les encourager, leur donner de la rétroaction (*feed-back*), les remercier et reconnaître le travail accompli. Les ressources incluant la formation fournies par la direction pour faciliter le travail et tous les symboles de valorisation des travailleurs trouvent leur place ici.

4. *Stratégies organisationnelles* (14/24). Cette dimension contient les processus d'action mis en place pour atteindre certains objectifs organisationnels. Ces processus sont liés au fonctionnement et à la survie de l'organisation, tels l'accent mis sur la croissance, la production, l'innovation, le risque, les normes, le consensus, l'éthique de travail.

5. *Attitudes valorisées* (11/24). Dans cette dimension, il est question des états émotionnels et des sentiments éprouvés par les acteurs (employés et patrons) de l'organisation. Ce sont, entre autres, l'identité, l'ouverture d'esprit, l'engagement au travail, la responsabilité individuelle, la frustration, l'attitude envers l'organisation, le degré de confiance envers la direction et l'implication au travail.

6. *Autonomie au travail* (10/24). Cette dimension réfère à la possibilité de croissance au travail souvent liée à l'indépendance et à l'autonomie et au degré de latitude laissé aux employés dans l'exécution de leurs tâches, notamment sur le plan de la prise de décision.

7. *Qualité de l'environnement immédiat de travail* (10/24). Cette dimension regroupe tous les aspects rattachés à l'environnement interne proche de l'employé, qui concernent de la sorte plus spécifiquement les conditions de travail, à savoir la complexité de l'organisation, la sécurité au travail, le cadre physique, les pressions subies, etc.

8. *Motivation* (9/24). Les mobiles sous-jacents qui motivent un individu au travail sont l'objet de cette dimension. On y explore les diverses modalités de mobilisation selon la nature des récompenses/punitions, leur attribution au mérite ou statutaire, leur caractère individuel ou de groupe, etc.

9. *Structure organisationnelle* (8/24). Cette dimension inventorie l'appréciation des caractéristiques objectives d'une organisation, tels la taille, la configuration hiérarchique, les modalités de division, le type de produits, de services ou de biens offerts.

10. *Préoccupations d'efficacité* (6/24). Le foyer de l'attention est ici sur le rendement général de l'organisation. Il s'agit des perceptions concernant les objectifs de performance, de compétence, de flexibilité organisationnelle, de relation entre le rendement et la rémunération, de qualité de la gestion.

11. *Caractéristiques de la tâche* (3/24). Cette dimension focalise sur la clarté telle que perçue par le répondant des buts et des objectifs liés à l'exécution des tâches.

De cette nomenclature, plusieurs éléments ne correspondent pas à la définition du climat de travail, qui est, rappelons-le, une caractéristique de l'organisation décrivant la relation entre les acteurs et l'organisation telle que mesurée par la perception que se font la majorité des acteurs de la façon dont ils sont traités et gérés (Roy, 1989). Ainsi, sur la foi de cette définition, nous écartons sans hésitation 5 éléments sur 11: les stratégies organisationnelles, les attitudes valorisées, la structure organisationnelle, les préoccupations d'efficacité, les caractéristiques de la tâche qui ne décrivent pas de relation organisation-individu et/ou qui ne constituent pas une manière d'être traité.

L'analyse des instruments de mesure et les grilles d'évaluation à l'origine de cette nomenclature laisse apparaître que le nombre de dimensions du climat qui sont couvertes varient d'un auteur à l'autre et que certaines d'entre elles semblent se chevaucher. Pour un nombre minimal de dimensions, il y aurait donc un certain consensus. Ainsi, nonobstant le questionnaire qu'il utilisera pour évaluer le climat de l'organisation, le diagnosticien organisationnel devra faire en sorte que son instrument de mesure couvre au moins les six dimensions suivantes:

1. *Autonomie individuelle.* Cette dimension inclut la responsabilité, l'indépendance des individus et la rigidité des lois de l'organisation. L'aspect primordial de cette dimension est la possibilité pour l'individu d'être son propre patron et de conserver un certain pouvoir de décision.

2. *Degré de structure imposé par le poste.* Cette dimension mesure le degré auquel les objectifs et les méthodes de travail sont établis et communiqués à l'employé par ses supérieurs.

3. *Le type de récompenses.* Cette dimension porte sur les aspects monétaires et les possibilités de promotion.

4. *Considération, chaleur et soutien.* Ces termes réfèrent à la stimulation et au support qu'un employé reçoit de son supérieur.

5. *Environnement physique.*

6. *Qualité des rapports intergroupes.*

3.1 Mesures du climat

D'aucuns diront que si on veut évaluer le climat d'une organisation, les perceptions de tous les employés doivent être colligées. Heureusement, il n'est pas nécessaire d'interroger tous les employés pour faire une telle évaluation. L'enquête peut être valable si on interroge un échantillon représentatif d'employés pour chacun des départements ou chacune des unités composant l'organisation.

La mesure perceptive des attributs organisationnels demeure la conception la plus utilisée par les chercheurs, celle qui permet de mesurer le plus facilement le climat et de respecter le mieux la théorie de Lewin (1951), postulant l'influence conjointe de l'environnement et de la personnalité de l'individu dans la détermination de son comportement. L'aspect perceptuel inclus dans cette définition est d'une extrême importance. En effet, la perception du climat organisationnel est fonction des caractéristiques de celui qui perçoit, des caractéristiques de l'organisation et de l'interaction de ces deux éléments.

Dans cette école de pensée, les instruments de mesure le plus souvent utilisés sont les questionnaires, car ils correspondent à la nature multidimensionnelle et perceptive du climat. On peut cependant critiquer le fait que la plupart des chercheurs de cette école n'ont pas spécifié le rôle joué par l'environnement externe ou les interactions possibles de ces variables sur les perceptions individuelles du climat.

La plupart des instruments sont des questionnaires d'administration individuelle visant à cerner les perceptions que les employés et d'autres catégories de personnel d'une organisation ont de la façon qu' ils sont traités au travail.

L'instrument de mesure privilégié dans l'évaluation du climat est bien entendu le questionnaire écrit. La plupart de ces instruments présentent des descriptions d'un état de fait particulier de l'organisation, avec chacune desquelles les répondants doivent indiquer jusqu'à quel point ils sont ou non d'accord. Par exemple:

Dans cette organisation, les employés peuvent influencer les décisions qui les touchent directement.

En général, on trouve dans ces questionnaires des échelles de réponses de type nominal ou d'intervalle. Souvent, la validité de ces questionnaires se résume à une validité d'apparence et, quelquefois, à une validité conceptuelle. En effet, dans l'univers mouvant des entreprises, il est parfois assez difficile d'établir toutes les propriétés métriques requises. Néanmoins, certains questionnaires ont récemment réussi à faire ce pas en avant.

Ces questionnaires sont surtout utilisés dans le cadre de recherches portant sur la perception des pratiques et des procédures organisationnelles. Il convient de souligner que les consignes données dans la plupart des questionnaires exigent des répondants qu'ils évaluent le climat de leur organisation en fonction de deux objectifs: la situation actuelle et la situation idéale. Ceci veut dire que, pour chacune des questions, le répondant doit indiquer comment il perçoit la situation actuelle et aussi comment il aimerait la percevoir idéalement. Cette méthode diagnostique, c'est-à-dire la mesure de l'écart entre le climat actuel et le climat idéal, permet de repérer les dimensions qui nécessiteraient une intervention de la part de la direction en vue d'améliorer le climat.

En général, les questionnaires sont conçus pour être utilisés dans plusieurs types d'organisations. Cependant, certains questionnaires ont été construits essentiellement pour des types spécifiques d'organisations comme, par exemple, les institutions scolaires ou les compagnies d'assurances.

3.2 Principaux questionnaires utilisés dans l'évaluation du climat organisationnel

Le climat est ainsi formé de plusieurs constituantes et cette nature multidimensionnelle est importante lorsqu'un spécialiste en gestion des ressources humaines désire choisir un questionnaire pour procéder à l'évaluation du climat de son organisation. En effet, la qualité d'un questionnaire réside dans le nombre et le type de dimensions qu'il mesure. Plus un instrument de mesure permet de cerner des dimensions importantes et pertinentes à l'organisation étudiée, plus il sera efficace.

Nous présentons un certain nombre d'instruments de mesure utilisés dans l'appréciation du climat de travail. De nombreuses recherches explorent des facettes spécifiques et il est important que les questionnaires utilisés soient adaptés au type d'organisation étudiée. Plus un questionnaire inclura des caractéristiques relatives aux six dimensions précédentes, meilleure sera sa capacité de cerner, de la façon la plus globale possible, le climat organisationnel tel que vécu par ses membres selon sa conception pluridimensionnelle. De cette façon, l'estimation synthétique du climat obtenue sera plus significative. Dans le même ordre d'idées, selon Bowers et Taylor (1970, voir Schnake, 1983), les dimensions qui composent un instrument de mesure du climat organisationnel doivent stimuler le répondant à s'orienter lui-même avec des éléments spécifiques et à exprimer son opinion selon la façon dont il les perçoit, indépendamment du fait qu'ils les aiment ou non. L'aspect évaluatif doit être faible, sinon totalement absent chez les descripteurs du climat de travail. Enfin, une bonne mesure du climat organisationnel doit être descriptive plutôt qu'évaluative ou attitudinale.

Docker *et al.* (1989) jettent un regard critique sur la mesure du climat organisationnel par questionnaire. Ils soulignent que certains sont des questionnaires validés, éprouvés et soutenus par un certain nombre d'études tandis que d'autres proviennent d'une combinaison d'échelles tirées d'au moins deux questionnaires ou d'une adaptation de questionnaires usuels à l'objet d'étude et à la population cible pour des recherches particulières. D'autres formes de questionnaires sont mises au point par le chercheur au moment où il entreprend son étude ponctuelle du climat de travail, auquel cas, le problème de validité externe des résultats se pose. Enfin, certaines études utilisent des questionnaires conçus à d'autres fins (satisfaction au travail, leadership) pour mesurer le climat, ce qui n'est pas du tout conforme à la conception épistémologique de ce dernier et, par le fait même, risque de causer de sérieux problèmes de validité et d'interprétation des résultats.

Le responsable en gestion des ressources humaines, le conseiller professionnel en la matière ou le chercheur pourra trouver, sur le marché des questionnaires psychologiques, une assez grande variété d'instruments de mesure destinés à lui permettre d'évaluer le climat de l'organisation étudiée. Cependant, il faut faire attention à la fidélité et à la validité de ces questionnaires. Ces derniers ont-ils été élaborés en fonction de substrats théoriques propres à la conception épistémologique du climat organisationnel ou sont-ils des adaptations d'instruments de mesure élaborés à d'autres fins? Il convient aussi de noter qu'il existe très peu de questionnaires de langue française sur le marché. Ceux qui sont disponibles sont généralement des versions françaises d'instruments américains, dont la version la plus populaire est celle de Likert (1967: *Likert's Organizational Profile*), présentée dans la traduction française de son livre intitulé *Le gouvernement participatif de l'entreprise* (Likert, 1974). Ce questionnaire commence à prendre de l'âge et, tel que mentionné dans le chapitre précédent, la typologie des climats fournie par cet instrument peut souvent porter à les confondre avec les dénominations de certains styles de leadership.

Dans ce qui suit, nous allons présenter les principaux instruments de mesure utilisés dans l'évaluation du climat organisationnel.

3.2.1 Likert's Organizational Profile *(Likert, 1967)*

L'instrument de mesure le plus fréquemment utilisé pour évaluer le climat organisationnel dans les organisations francophones est la traduction française du questionnaire de Likert (1967), *Le profil des caractéristiques organisationnelles*, dont la théorie a été présentée antérieurement. Ce questionnaire mesure, dans sa version générale, la perception du climat en fonction des huit dimensions suivantes:

1. les méthodes de commandement: la façon dont le leadership est utilisé pour influencer les employés;
2. les caractéristiques des forces motivationnelles: les procédures mises en place pour motiver les employés et répondre à leurs besoins;
3. les caractéristiques des processus de communication: la nature des types de communication dans l'entreprise ainsi que la façon de l'exercer;
4. les caractéristiques des processus d'influence: l'importance de l'interaction supérieur-subordonné pour établir les objectifs dans l'organisation;
5. les caractéristiques des processus de prise de décision: la pertinence des informations à la base des décisions ainsi que le partage des rôles;
6. les caractéristiques des processus de planification: la façon dont est établi le système de fixation des objectifs ou de directives;
7. les caractéristiques des processus de contrôle: l'exercice et le partage du contrôle entre les différentes instances organisationnelles;
8. les objectifs de rendement et de perfectionnement: la planification ainsi que la formation souhaitée.

Le tableau 7 présente la définition des différents climats que ce questionnaire peut évaluer.

Il faut noter que le questionnaire original de Likert, avec ses 51 questions et ses échelles de réponse en 20 points, exige un temps de réponse assez long et peut présenter des difficultés d'interprétation aux employés peu scolarisés. La version abrégée (18 questions) de ce questionnaire semble être un choix valable.

Le questionnaire L.O.P. abrégé de Likert (1967) mesure le climat organisationnel en fonction de cinq dimensions qui sont: la perception des supérieurs, la prise de décision, la formulation des objectifs, la communication organisationnelle et les mécanismes de contrôle dans l'entreprise. La fidélité de ce questionnaire a été revue en 1984 par Lorrain et Brunet.

Tableau 7. Typologie du *Likert's Organizational Profile* (1967)
Climat de type autoritaire
Système I – Autoritarisme exploiteur

Méthodes de commandement

Strictement autocratique sans aucune relation de confiance supérieur/subordonnés.

Objectifs de performance et formation

Recherche des objectifs d'un degré moyen et peu de chances de formation.

Forces motivationnelles

- Crainte, peur, argent et statut. Les autres motifs sont ignorés.
- Les attitudes sont hostiles et les employés considérés comme des esclaves.
- La méfiance prévaut et il n'y a presque pas de sentiment de responsabilité sauf aux paliers supérieurs de la hiérarchie.
- Il y a une insatisfaction fortement ressentie par les employés face à la tâche, les pairs, le patron et l'organisation en entier.

Modes de communication

- Il y a peu de communications ascendantes, latérales et descendantes et elles sont généralement perçues avec méfiance par les employés car la distorsion caractérise généralement ces communications.

Processus d'influence

- Il n'existe pas de travail en équipe et peu d'influence mutuelle.
- Il n'existe qu'une influence descendante, modérée, généralement surestimée.

Processus de prise de décision

- Les décisions sont prises au sommet, basées sur des informations partielles et inadéquates. Elles sont peu motivantes et prises généralement par un seul homme.

Processus d'établissement d'objectifs

- Ce ne sont que des ordres. On semble les accepter, mais il survient généralement une résistance clandestine.

Processus de contrôle

- Le contrôle n'est effectué qu'au sommet.
- Les données sont souvent falsifiées ou inadéquates.
- Une organisation informelle existe et cherche à réduire le contrôle formel.

Tableau 7. Typologie du *Likert's Organizational Profile* (1967) (suite)
Climat de type autoritaire
Système II – Autoritarisme paternaliste

Méthodes de commandement

De nature autoritaire avec une petite relation de confiance entre supérieur/subordonnés.

Objectifs de performance et formation

Recherche des objectifs élevés avec peu de chances de formation.

Forces motivationnelles

- Les motifs portent sur les besoins d'argent, de l'ego, de statut et de pouvoirs, et quelquefois la crainte.
- Les attitudes sont souvent hostiles mais quelquefois favorables envers l'organisation.
- La direction a une confiance condescendante envers ses employés, tel un maître envers ses serviteurs.
- Les employés ne se sentent pas responsables de l'atteinte des objectifs.
- On retrouve de l'insatisfaction et rarement de la satisfaction au travail, avec les pairs, le patron et l'organisation.

Modes de communication

- Il y a peu de communications ascendantes, descendantes et latérales.
- Les interactions entre supérieurs et subordonnés sont établies avec condescendance par les supérieurs et avec précaution par les subordonnés.

Processus d'influence

- Il existe peu de travail en équipe et peu d'influence ascendante sauf par des moyens formels.
- L'influence descendante, quant à elle, est surtout moyenne.

Processus de prise de décision

- Les politiques sont décidées au sommet mais quelques décisions touchant leur application sont prises à des niveaux plus bas et basées sur de l'information adéquate et juste.
- Les décisions sont prises sur une base individuelle, décourageant le travail en équipe.

Processus d'établissement d'objectifs

- On retrouve des ordres avec quelques commentaires possibles.
- Il y a une acceptation ouverte des objectifs mais avec une résistance clandestine.

Processus de contrôle

- Le contrôle est effectué au sommet.
- Les données sont généralement incomplètes et inadéquates.
- Une organisation informelle se développe quelquefois, mais ne résiste pas toujours aux buts de l'organisation.

Tableau 7.   Typologie du *Likert's Organizational Profile* (1967) (suite)
Climat de type participatif
Système III – Consultatif

Méthodes de commandement

Consultation entre supérieur/subordonnés avec une relation de confiance assez élevée.

Objectifs de performance et formation

Recherche des objectifs très élevée avec de bonnes possibilités de formation.

Forces motivationnelles

• Les récompenses, les punitions occasionnelles et une forme d'implication sont utilisées pour motiver les employés.
• Les attitudes sont généralement favorables et la plupart des employés se sentent responsables de ce qu'ils font.
• On observe une satisfaction moyenne au travail, avec les pairs, le patron et l'organisation.

Modes de communication

• La communication est de type descendant avec assez souvent des communications ascendantes et latérales.
• Il peut survenir un peu de distorsion et de filtrage.

Processus d'influence

• Il existe une quantité modérée d'interactions du type supérieur/subordonné, souvent avec un degré de confiance assez élevé.

Processus de prise de décision

• Les politiques et les décisions générales sont prises au sommet, mais on permet aux subordonnés de prendre des décisions plus spécifiques à des paliers inférieurs.

Processus d'établissement d'objectifs

• Les objectifs sont déterminés par des ordres établis après discussion avec les subordonnés. On observe une acceptation ouverte, mais quelquefois il y a des résistances.

Processus de contrôle

• Des aspects importants du processus de contrôle sont délégués de haut en bas avec un sentiment de responsabilité aux échelons supérieurs et inférieurs.
• Une organisation informelle peut se développer, mais elle peut partiellement soutenir ou résister aux buts de l'organisation.

Tableau 7. Typologie du *Likert's Organizational Profile* (1967)(suite et fin)
Climat de type participatif
Système IV – Participation de groupe

Méthodes de commandement

Délégation de responsabilités avec une relation de confiance extrêmement grande entre supérieur et subordonnés.

Objectifs de performance et formation

Recherche des objectifs extrêmement élevée et possibilités de formation excellentes.

Forces motivationnelles

• La direction a une confiance complète dans ses employés.
• Les employés sont motivés par la participation et l'implication, par l'établissement d'objectifs, par l'amélioration des méthodes de travail et par l'évaluation du rendement en fonction des objectifs.

Modes de communication

• La communication ne se fait pas seulement de manière ascendante ou descendante, mais aussi de façon latérale.
• On n'observe aucun filtrage ni distorsion.

Processus d'influence

• Les employés travaillent en équipe avec la direction et c'est ce qui fait qu'ils ont beaucoup d'influence.

Processus de prise de décision

• Le processus de prise de décision est disséminé dans toute l'organisation tout en étant très bien intégré à tous les paliers.

Processus d'établissement d'objectifs

• Les objectifs sont établis par la participation de groupe, sauf en cas d'urgence.
• Il y a une pleine acceptation des objectifs par tous les employés.

Processus de contrôle

• Beaucoup de responsabilités et très forte implication des échelons inférieurs.

144

3.2.2 Profile of a School *(Likert, 1972)*

Likert (1972) a aussi élaboré une version de son questionnaire destinée uniquement à mesurer le climat organisationnel des écoles, le *Profile of a School*. Ce questionnaire a été adapté en français pour les écoles québécoises par Corriveau, en 1990. Plusieurs versions de ce questionnaire ont été élaborées en vue de recueillir les perceptions des différents participants aux activités scolaires, à savoir les élèves, les enseignants, les directions d'école, le personnel de la commission scolaire, les directions générales et les membres de la commission scolaire.

À l'exception de quelques questions utilisées pour déterminer l'attitude générale des individus et leur motivation, le but de ce questionnaire est de décrire les pratiques organisationnelles qui ont cours à différents paliers de l'organisation et leurs conséquences plutôt que de découvrir si les individus sont satisfaits de ce qu'ils vivent dans le système scolaire.

La version «enseignant» de ce questionnaire comprend 17 dimensions qui composent 3 types de variables: causales, intermédiaires et finales.

Variables causales (indépendantes)

A. Établissement d'un climat organisationnel

Cet intitulé décrit l'environnement général d'une école, qui est influencé par les comportements et les politiques transmises par la commission scolaire, la direction générale et la direction de l'école. Trois dimensions sont mesurées:

– le degré d'engagement face aux objectifs de l'école;
– la nature du processus de prise de décision utilisé;
– le degré de coopération en équipe.

B. Exercice du leadership

Cette variable mesure la perception du comportement d'une direction spécifique. Six dimensions sont mesurées:
- le degré de soutien apporté par le supérieur immédiat;
- la réceptivité du supérieur immédiat aux idées des subordonnés;
- le degré d'excellence du travail à accomplir dans l'école;
- le travail en équipe;
- le degré auquel le supérieur immédiat s'efforce de faciliter la tâche à ses subordonnés;
- le degré auquel le supérieur immédiat permet la participation de ses subordonnés à la prise de décision.

C. Confiance mutuelle
(variable indépendante et intermédiaire)

Le degré de confiance mutuelle entre le supérieur immédiat et ses subordonnés est mesuré dans cette dimension.

D. Autres variables intermédiaires

Ce sont les variables qui mesurent jusqu'à quel point les comportements des supérieurs se reflètent dans les comportements des subordonnés. Cinq dimensions sont mesurées:
- le degré d'influence qu'ont l'impression d'exercer les subordonnés;
- la qualité des communications avec le supérieur immédiat;
- le degré auquel les pairs s'efforcent de mettre sur pied des équipes de travail;
- le degré auquel le subordonné se sent motivé pour son travail;
- l'acceptation des objectifs par les élèves.

E. Variables finales
- l'attitude des subordonnés envers l'école (satisfaction);
- la frustration des subordonnés.

3.2.3 Litwin and Stringer Organizational Climate Questionnaire (L.S.O.C.Q. *de Litwin et Stringer (1968)*

Le questionnaire (L.S.O.C.Q.) développé par Litwin et Stringer (1968), fondé sur la théorie de la motivation de McClelland et Atkinson (1953, voir Litwin et Stringer, 1968), mesure la perception des employés relativement à neuf dimensions:

1. Structure: perception des contraintes, des règles et des politiques que l'on retrouve dans une organisation;

2. Responsabilité individuelle: sentiment d'autonomie, se sentir son propre patron;

3. Rémunération: perception de l'équité de la rémunération lorsque le travail est bien fait;

4. Risque et prise de décision: perceptions du niveau de défis et de risques tels qu'ils se présentent dans une situation de travail.

5. Soutien: les sentiments de soutien éprouvés par les employés au travail;

6. Tolérance au conflit: la confiance qu'un employé met dans le climat de son organisation ou la mesure dans laquelle il la perçoit comme permettant d'exprimer sans risque des divergences d'opinions;

7. La chaleur: les sentiments de tolérance et d'amitiés éprouvés par les employés au travail.

8. La norme: perception par les employés des mécanismes de contrôle utilisés dans l'organisation;

9. L'identité: sentiment d'appartenance à l'organisme éprouvé par les employés.

Ce questionnaire comprend 50 énoncés et des échelles de réponse de type Likert en quatre points. Quoique un peu long, cet instrument de mesure possède une bonne fidélité et une validité intéressante.

3.2.4 Insurance Climate Questionnaire (I.C.Q.) *de Schneider et Bartlett (1968)*

En 1968, deux auteurs américains, Schneider et Bartlett, ont élaboré un questionnaire (*I.C.Q.*) pour mesurer la perception du climat à l'intérieur des compagnies d'assurances en fonction de six dimensions, qui sont:

1. Le soutien venant de la direction. Jusqu'à quel point les supérieurs sont-ils intéressés aux progrès de leurs agents, à les soutenir dans leurs efforts et à maintenir un esprit de coopération amicale?

2. La structure. Cette dimension fait référence aux pressions exercées par les supérieurs pour que leurs agents respectent les budgets, connaissent le matériel à vendre et s'accaparent de nouveaux clients.

3. L'implication avec les nouveaux employés. Cette dimension a trait aux préoccupations de l'entreprise concernant la sélection et la formation des nouveaux agents d'assurance.

4. Les conflits interagences. Cette dimension fait référence aux groupes d'individus, à l'intérieur ou à l'extérieur de l'entreprise, qui viennent court-circuiter l'autorité des gestionnaires.

5. L'autonomie des employés. Cette dimension porte sur le degré d'autonomie vécu par les employés dans leur travail.

6. Le degré de satisfaction générale. Cette dimension a trait au degré de satisfaction ressenti par les employés dans leur travail et dans leur organisation.

Ce questionnaire comprend 80 questions regroupant les 6 dimensions énumérées précédemment. Ce questionnaire peut être utilisé, d'après l'avis même de ses auteurs, comme un instrument de sélection permettant de choisir des individus dont la perception du travail à accomplir et de l'organisation cadre bien avec la perception qu'ont les employés de leur organisation. C'est un instrument de mesure qui possède une bonne consistance interne des échelles et des dimensions.

3.2.5 *Le questionnaire de Pritchard et Karasick (1973)*

Un autre questionnaire intéressant est celui développé par Pritchard et Karasick en 1973. Ces auteurs se sont efforcés de développer un instrument de mesure du climat qui soit composé de dimensions indépendantes, complètes, descriptives et rattachées à la théorie perceptuelle du climat organisationnel. Les 11 dimensions qu'ils ont répertoriées sont les suivantes:

1. Autonomie: Il s'agit du degré de liberté qu'un individu peut avoir dans ses prises de décision et dans ses façons de solutionner les problèmes.

2. Conflit et coopération. Cette dimension fait référence au degré de collaboration observé entre les employés dans l'exercice de leur travail et au soutien matériel et humain qu'ils reçoivent de leur organisation.

3. Relations sociales. Il s'agit ici du type d'atmosphère sociale et amicale que l'on observe dans l'organisation.

4. Structure: Cette dimension recouvre les directives, les consignes et les politiques émises par une organisation et qui touchent directement la façon d'effectuer une tâche.

5. Rémunération: Cet aspect porte sur la façon dont les travailleurs sont rémunérés (les salaires, les bénéfices sociaux, etc.).

6. Rendement (rémunération): Il s'agit ici de la contingence rendement/rémunération ou, en d'autres termes, du lien qui existe entre la rémunération et le travail bien fait et conforme aux habiletés de l'exécutant.

7. Motivation: Cette dimension porte sur les aspects motivationnels développés par l'organisation chez ses employés.

8. Statut: Cet aspect a trait aux distinctions hiérarchiques (supérieurs/ subordonnés) et à l'importance qui est accordée à cette distinction par l'organisation.

9. Flexibilité et innovation: Cette dimension recouvre la volonté d'une organisation d'expérimenter de nouvelles choses et de changer ses façons de faire.

10. Centralisation de la prise de décision: Cette dimension analyse de quelle façon l'entreprise délègue le processus de prise de décision parmi les paliers hiérarchiques.

11. Support: Cet aspect porte sur le type de soutien que la haute direction donne à ses employés face aux problèmes, liés ou non au travail.

Les qualités métriques de ce questionnaire sont intéressantes puisque ses différentes dimensions sont indépendantes, complètes et descriptives.

3.2.6 *Le* Organizational Climate Description Questionnaire (O.C.D.Q.) *de Halpin et Crofts (1963)*

Halpin et Crofts (1963) ont élaboré un questionnaire de climat organisationnel adapté spécialement au domaine scolaire. Cet instrument de 64 questions considère 8 dimensions dont 4 portent sur le comportement des enseignants et 4 sur le comportement de la direction d'école. Ces dimensions sont les suivantes:

1. Désengagement. Cette dimension mesure l'implication personnelle des enseignants dans leur travail.

2. Entrave. Cette dimension porte sur le sentiment qu'ont les enseignants d'être ensevelis par leur directeur sous des tâches routinières et inutiles.

3. Intimité. Il s'agit de la perception éprouvée par les enseignants au sujet de la possibilité d'établir des relations amicales avec leurs homonymes.

4. Esprit. Cette dimension porte sur la satisfaction des besoins sociaux des enseignants.

5. Attitude distante. Cette dimension réfère aux comportements formels et impersonnels du directeur qui préfère s'en tenir aux règles clairement établies plutôt que d'entrer dans une relation affective avec ses enseignants.

6. Accent mis sur le rendement. Cette dimension porte sur les comportements autoritaires et centrés sur la tâche du directeur d'école.

7. Confiance. Cette dimension a trait aux efforts que fait le directeur pour motiver ses enseignants.

8. Considération. Cette dimension réfère aux comportements du directeur qui essaie de traiter ses enseignants de la façon la plus humaine possible.

Des études menées sur le climat dans les écoles secondaires ont permis de reconceptualiser l'*O.C.D.Q.*, qui, en 1963, visait l'évaluation du climat organisationnel dans les écoles élémentaires. Désormais, deux outils d'enquête permettent de mesurer le climat en milieu scolaire: un pour les écoles élémentaires (*O.C.D.Q.*) et un autre pour les écoles secondaires (*O.C.D.Q.-R.S.*). Ce dernier aurait déjà été utilisé un nombre substantiel de fois dans des études prévisionnelles (Anderson, 1982; Miskel et Ogawa, 1988). Il a permis d'étudier le climat de travail d'enseignants au secondaire. Il n'existe pas encore d'équivalent de l'*O.C.D.Q.* pour l'étude du climat en milieu universitaire, mais la recherche qui y est amorcée utilise certaines variables du climat qui indexent la qualité de l'instrument: stress, communication, soutien au travail, etc. L'étude de Hersi (1993) sur le climat de travail des femmes dans l'administration universitaire n'est qu'un exemple parmi d'autres.

3.2.7 School Climate Questionnaire *de Crane (1981)*

Un autre type de questionnaire, développé par le milieu scolaire, est celui de Crane (1981). Il comprend 36 questions permettant d'analyser le climat en fonction de 5 dimensions:

1. L'autonomie. Ce facteur porte sur le degré d'autonomie, d'initiative et de responsabilités individuelles que des employés peuvent démontrer dans leur travail.

2. La structure. Cette dimension fait référence à la façon dont les objectifs et la manière de travailler sont établis et communiqués aux employés par leur supérieur.

3. La considération. Cet aspect du questionnaire a trait au soutien et à la confiance accordés par la direction à ses employés.

4. La cohésion. Cette dimension porte sur la cohésion et la loyauté du groupe de travail.

5. Mission et implication. Ce facteur réfère à l'implication et à la participation des employés dans l'atteinte des objectifs de l'organisation.

Cet instrument de mesure présente aussi de bonnes qualités métriques.

3.2.8 Work Environment Scale (W.E.S.) de Moos et Insel (1974)

Moos et Insel (1974) ont élaboré un questionnaire, intitulé *The Work Environment Scale* (*W.E.S.*), susceptible d'être utilisé dans la plupart des organisations (privées, publiques, scolaires). Cet instrument, composé de 90 questions, mesure le climat en fonction des 10 dimensions suivantes:

1. Implication. Cette dimension mesure à quel point les individus se sentent impliqués dans leur travail.

2. Cohésion. Cette dimension porte sur les relations d'amitié et de soutien que les travailleurs vivent entre eux.

3. Soutien. Cette dimension réfère au soutien et à l'engagement démontrés par la direction à ses employés.

4. Autonomie. Cette dimension mesure à quel point l'organisation encourage ses travailleurs à être autonomes et à prendre des décisions.

5. Tâche. Cette dimension évalue à quel point le climat encourage la planification et l'efficacité au travail.

6. Pression. Cette dimension porte sur la pression exercée par la direction sur ses employés pour que le travail soit effectué.

7. Clarté. Cette dimension mesure à quel point les règlements et les politiques sont clairement expliqués aux travailleurs.

8. Contrôle. Cette dimension réfère aux règlements et aux pressions que la direction utilise pour contrôler ses employés.

9. Innovation. Cette dimension mesure l'accent que la direction met sur le changement et sur les nouvelles façons d'effectuer le travail.

10. Confort. Cette dimension fait référence aux efforts que la direction déploie pour fournir un environnement physique sain et agréable à ses employés.

Cet instrument de mesure présente une échelle de réponse dichotomique de type «vrai ou faux». On répond donc rapidement à ce questionnaire et ses dimensions peuvent être considérées indépendantes, complètes et descriptives.

3.2.9 Survey of Organizations *de Bowers et Taylor (1970)*

Bowers et Taylor (1970) ont élaboré, avec leur équipe de chercheurs du Center for Research on Utilization of Scientific Knowledge de l'Université du Michigan, un instrument destiné à mesurer les caractéristiques globales d'une organisation. Intitulé *Survey of Organizations*, il mesure les caractéristiques organisationnelles en fonction de trois grandes variables, soit le leadership, le climat organisationnel et la satisfaction. Le climat organisationnel est mesuré en fonction de cinq grandes dimensions, à savoir:

1. Ouverture aux changements technologiques. Cette dimension porte sur l'ouverture exprimée par la direction face aux nouvelles ressources ou au nouvel équipement qui pourraient faciliter et améliorer le travail de leurs employés.

2. Ressources humaines. Cette dimension réfère à l'attention portée par la direction sur le bien-être des employés au travail.

3. Communication. Cette dimension porte sur les réseaux de communication existants dans l'organisation ainsi que sur la facilité pour les employés de faire entendre leurs doléances auprès de la direction.

4. Motivation. Cette dimension a trait aux conditions qui portent les employés à travailler plus ou moins fort dans l'organisation.

5. Prise de décision. Cette dimension évalue les informations disponibles et utilisées dans les décisions qui sont prises à l'intérieur de l'organisation ainsi que le rôle des employés dans ce processus.

Ce questionnaire comporte 22 questions dont les échelles de réponse sont de type Likert, en 5 points. Ses qualités métriques sont particulièrement bonnes.

3.2.10 Le Questionnaire du climat de travail (Q.C.T.) de Roy (1989)

Francine Roy, en 1989, a conçu un questionnaire intitulé *Questionnaire du climat de travail (Q.C.T.)* afin de répondre au besoin d'un instrument de mesure de langue française qui évalue le climat de façon valide et fidèle, et qui soit simple et pratique à l'utilisation. Le *Q.C.T.* comprend 34 énoncés, regroupés en 5 dimensions, qui sont:

1. Autonomie et considération. Cette dimension porte sur l'autonomie dans la prise de décision, la latitude, les possibilités de se réaliser et de se dépasser, ainsi que les sentiments de valeur et de fierté.

2. Environnement. Cette dimension porte sur la perception du confort, de la qualité des conditions de travail et du cadre physique.

3. Contraintes imposées par l'organisation. Cette dimension porte sur les règlements en place ainsi que sur les mécanismes de contrôle et de réprobation.

4. Relations intergroupes. Cette dimension porte sur la perception de la dimension sociale de l'organisation. Elle concerne les rapports ou les relations entre les groupes et les unités de travail (coopération, cordialité, ouverture, confiance, communication).

5. Incitation au travail. Cette dimension porte sur les différentes formes d'encouragement (récompenses, soutien moral, approvisionnement en ressources, etc.) qu'on trouve à l'intérieur d'une organisation.

Les échelles de réponse sont de type Likert en 5 points.

Savoie *et al.* (1994), reprenant l'instrument de Roy (1989), établissent l'existence de six dimensions au lieu de cinq. Il y a en effet une différence sur le plan des relations entre les différents groupes de l'organisation et les relations patronales-syndicales. Les deux concepts sont considérés distincts. Les auteurs ont procédé à de nouveaux regroupements des énoncés et des sous-échelles. La sixième dimension concerne «les relations patronales-syndicales».

3.2.11 Le Questionnaire Confiance-Méfiance du climat de travail de Savoie et al. (1994)

L'instrument de mesure privilégié servant à définir cette typologie est celui intitulé *Questionnaire sur le climat de travail (Q.C.T.)* initialement conçu par Roy (1989) et modifié par Savoie *et al.* en 1994. Ce questionnaire évalue le climat en fonction de six dimensions, qui sont:

1. Autonomie et considération. Cette dimension mesure la perception qu'ont les individus du degré d'autonomie et de considération dont ils jouissent au travail. Les notions d'autonomie et de considération font appel au degré de latitude décisionnelle disponible, aux possibilités de dépassement qu'offre le travail ainsi qu'aux sentiments de valeur et de fierté qu'il procure.

2. Environnement. Cette dimension mesure la perception qu'ont les individus du confort de leur milieu de travail eu égard aux caractéristiques physiques (température, éclairage, décor, ventilation, propreté, espace disponible).

3. Contraintes imposées par l'organisation. Cette dimension mesure la perception qu'ont les individus de la présence de règles qui encadrent ou régissent la façon de faire et les attitudes au travail, de même que l'intransigeance de l'application de ces règles.

4. Relations intergroupes. Cette dimension mesure la perception qu'ont les individus des relations existant entre les divers groupes de leur organisation en termes de confiance, d'hostilité et de coopération.

5. Relations patronales-syndicales. Cette dimension mesure la perception qu'ont les individus des relations existant entre le patronat et le ou les syndicats.

6. Incitation au travail. Cette dimension mesure la perception qu'ont les individus des formes d'encouragement au travail que leur prodigue l'organisation.

Cet instrument de mesure comporte de bonnes qualités métriques.

Nous venons de décrire quelques-uns des principaux instruments de mesure les plus intéressants dans l'évaluation du climat d'une organisation. Il apparaît que le nombre de dimensions qui sont couvertes varie d'un auteur à l'autre et que certaines d'entre elles se recoupent, ce qui fait ressortir que plusieurs dimensions communes du climat ont été relevées par les différents chercheurs. Il faut souligner que la liste d'instruments de mesure que nous venons de présenter n'est pas exhaustive; il ne s'agit que des questionnaires les plus fréquemment utilisés dans les études sur le climat. Néanmoins, peu importe le questionnaire que le spécialiste en gestion utilisera pour évaluer le climat de son organisation, il devra s'assurer, avant tout, que son instrument de mesure couvre au moins, d'une façon directe ou indirecte, les six dimensions présentées auparavant, c'est-à-dire l'autonomie individuelle, le degré de structure imposé par le poste, le type de récompense, la considération, l'environnement physique et la qualité des rapports intergroupes.

Donc, plus un questionnaire inclura des questions ou des caractéristiques relatives aux dimensions précédentes, meilleure sera sa capacité de cerner, de la façon la plus globale possible, le climat organisationnel tel que vécu par les membres d'un groupe. Finalement, il va de soi que le conseiller en gestion doive vérifier la fidélité et la validité de son instrument de mesure.

Chapitre 4

La consultation en climat organisationnel

Il est assez rare que la haute direction d'une entreprise demande une enquête spécifique sur le climat de travail y régnant. En général, les demandes qui sont faites à des consultants portent sur des problèmes de communication, de motivation des employés, des conflits, etc. En fait, la direction d'une entreprise va plutôt se plaindre d'un malaise latent nuisant à la productivité et aux relations du travail. C'est au consultant d'essayer de tirer au clair, avec l'aide de la direction, la signification véritable de ce malaise. Quand une telle demande survient, le climat organisationnel s'est, de façon globale, détérioré de telle sorte que les dirigeants n'ont de meilleur choix que celui de demander de l'aide. En effet, il faut se rappeler que le climat de travail se détériore rapidement, mais se reconstruit lentement. Dès que la méfiance s'est installée dans un environnement de travail, il devient extrêmement difficile de l'en faire sortir. La méfiance s'accompagne d'attitudes négatives qui servent de référent à l'individu dans la perception de son environnement de travail. Il s'ensuit que généralement les interventions de réfection du climat de travail peuvent être assez longues.

La consultation en climat organisationnel peut permettre de:

- connaître la personnalité d'une institution;
- faire ressortir des problèmes résultant d'une structure de processus organisationnels déficiente;
- dépister les sources de conflits entre des individus ou des unités/départements;
- diagnostiquer certains problèmes de productivité ou de rendement;
- décrypter la dynamique éthique;
- préparer le terrain en vue d'une intervention future de changement organisationnel.

Selon notre expérience, s'il s'avère, à la suite d'une consultation bien menée, que le climat soit malsain, celui-ci devra être modifié avant de penser à mettre en place dans l'organisation toute autre forme de changement.

4. Procédures de consultation en climat organisationnel

Pour optimaliser les conditions de réussite d'une consultation en climat et agir de façon éthique, il est important de:

1. Respecter l'anonymat de tous les gens impliqués en utilisant des instruments de mesure et des façons de procéder qui assureront la confidentialité des répondants tout en permettant un traitement différencié et nuancé des réponses;

2. S'assurer de la bonne volonté de la haute direction et de son implication dans la poursuite de la consultation. Il se peut que certains résultats déplaisent aux dirigeants; c'est le prix à payer pour améliorer le climat;

3. Impliquer tous les employés d'une organisation ou de la partie concernée, peu importe le palier hiérarchique ou le département. Advenant le cas que les employés soient trop nombreux, le conseiller en gestion devra établir des échantillons représentatifs de personnel fondés sur une catégorisation signifiante et pertinente;

4. Prévoir des séances d'information à tout le personnel concerné sur la façon de procéder, les objectifs visés, la confidentialité et la rétroaction (*feed-back*) (voir à ce que les dirigeants s'engagent à diffuser du *feed-back* même au cas où celui-ci serait négatif). Le consultant doit aussi s'assurer que, si une rétroaction négative doit être diffusée, cette dernière ne risque pas de détériorer encore plus le climat. Le consultant est rémunéré pour aider l'organisation et non pour compromettre sa réhabilitation;

5. Présenter aux employés la consultation comme une recherche d'informations susceptibles d'améliorer la vie organisationnelle. Ne jamais faire de promesses indues. Fourgous et Iturralde (1991) ajoutent même qu'il faut concevoir cette consultation comme un outil de management et une source supplémentaire d'informations qui n'entrent pas en concurrence avec les canaux de communication formels (syndicat, hiérarchie, etc.);

6. Utiliser des instruments de mesure valides et fidèles.

4.1 Méthodologie de la consultation

Fourgous et Iturralde (1991) ont déterminé cinq phases distinctes dans le déroulement d'une consultation portant sur le climat de travail:

1. Une phase de prédiagnostic. Il s'agit d'une étape où le consultant doit s'assurer de bien comprendre la demande des dirigeants de l'entreprise. Comme nous l'avons mentionné auparavant, une demande d'étude sur le climat est souvent assimilée à des problèmes plus généraux de gestion (c'est-à-dire communication, motivation). C'est aussi à cette étape que le consultant prendra connaissance de la culture et du vocabulaire propres à l'entreprise. La création d'un comité conjoint de supervision de l'enquête composé de membres de l'entreprise et du ou des conseillers est fortement conseillée.

2. Une phase de préparation de l'enquête. C'est à cette étape que le comité conjoint met au point le questionnaire, prévoit les modalités de passation et de retour des informations. Nous reviendrons un peu plus loin sur l'importance du questionnaire.

3.   Une phase terrain, passation des instruments de mesure. Les questionnaires peuvent être remis en mains propres aux employés ou envoyés par courrier interne. Dans tous les cas, il est important de respecter l'anonymat et la confidentialité. Il va de soi que le nombre de répondants sera plus élevé si les employés peuvent remplir le questionnaire dans leur milieu de travail et le déposer dans une boîte prévue à cet effet ou le retourner par courrier à une adresse extérieure et étrangère à leur organisation.

4.   Une phase de dépouillement, d'analyse et de restitution des résultats aux différents interlocuteurs dans l'entreprise. Une approche particulièrement intéressante dans la restitution des données est celle inspirée de la technique du *survey-feed-back* (Toulouse et Lesage, 1986). Après l'analyse des résultats, on peut prévoir les séquences suivantes:

i.   Formation des cadres aux concepts théoriques (expliquer les théories du climat) nécessaires pour comprendre les données et leur signification;

ii.   Rétroaction (*feed-back*) individuelle par le consultant aux chefs de groupe;

iii.   Rencontre des groupes avec leur chef respectif pour résoudre les problèmes repérés par l'enquête. Le chef de groupe présente les données et dirige la discussion;

iv.   Diagnostic systématique fait par le consultant externe et présenté à la direction; allocation des ressources nécessaires pour régler les problèmes systémiques.

v.   Une phase de préconisation et de suivi. Des mesures de redressement du climat sont proposées et des techniques de suivi périodique sont mises en place.

4.2 Instrument de mesure

Le questionnaire écrit est en général le meilleur instrument de mesure du climat. Il est beaucoup plus anonyme et confidentiel que la technique d'entrevue pour évaluer cette perception si délicate de l'environnement de travail. Il faut aussi noter, par contre, les principaux désavantages du questionnaire, telles la perte de certaines informations et l'impossibilité d'adapter les questions au seuil de compréhension du répondant. Mentionnons aussi que les employés peu scolarisés ou maîtrisant peu la langue utilisée dans le questionnaire peuvent avoir de la difficulté à comprendre non seulement les questions mais aussi les directives et le fonctionnement des échelles de réponse. Le consultant doit s'assurer d'utiliser un questionnaire fidèle et valide répondant à la conception épistémologique du climat organisationnel. Si le consultant doit élaborer un questionnaire, il devra s'assurer que celui-ci couvre les dimensions importantes du climat organisationnel et un prétest devra être effectué afin de s'assurer de la fidélité. Il faut faire attention de ne pas utiliser des questionnaires conçus à d'autres fins pour évaluer le climat. Tel que mentionné antérieurement, certaines études ont utilisé des questionnaires élaborés pour mesurer le leadership et la satisfaction au travail. Ce sont des concepts complètement différents du climat et qui peuvent donc conduire à des extrapolations faussées en matière de climat organisationnel

4.3 Types de consultation

La consultation en climat organisationnel peut répondre à de nombreux objectifs, par exemple:

- Comprendre la dynamique interne d'une organisation;
- Analyser les facteurs pouvant influencer l'efficacité et la productivité;
- Prendre le pouls d'une organisation avant de planifier des changements ou du perfectionnement;
- Repérer la source des conflits;

Dans ce qui suit, nous allons présenter des exemples de rapports d'étude portant sur l'évaluation du climat de travail.

4.3.1 Le cas de la Commission scolaire Alpha

La Commission scolaire Alpha est une petite entité située au nord du Québec qui comprend 134 enseignants, 6 cadres et 2 spécialistes. En 1994, sous la pression du syndicat, qui jugeait l'environnement de travail plutôt conflictuel, la direction décida de faire mener une étude sur le climat de son institution. Cent quatre membres de la commission scolaire ont accepté de répondre au questionnaire abrégé (*L.O.P.*) de Likert portant sur la perception du climat. La partie qui suit représente le type de rapport évaluatif fourni à la commission scolaire et présenté à tout le personnel au cours d'une réunion générale. Ce rapport est fondé sur la conception du *survey-feed-back* définie précédemment.

Rapport d'évaluation du climat organisationnel
à la Commission scolaire Alpha

$$\boxed{\textit{CONFIDENTIEL}}$$

Définition du climat

Tout d'abord, reprenons brièvement la définition du climat de travail qui peut être énoncée comme suit:

> *Le climat de travail est la perception partagée par les membres d'une organisation scolaire de la façon dont ils sont traités.*

C'est beaucoup plus la perception de notre environnement qui compte que la réalité elle-même dans l'orientation de nos comportements. Le résultat global de toutes les informations fournies par les répondants situe le climat organisationnel de votre institution à la limite supérieure du système autoritaire paternaliste, ce qui dénote un environnement de travail plus fermé que dans la moyenne des institutions scolaires au Québec. La grande variance obtenue dans les résultats laisse aussi apparaître la possibilité de l'existence de deux groupes ayant des visions antagonistes de leur climat dans la même institution.

Climat de type autoritaire paternaliste

Brièvement, un climat de type autoritaire paternaliste peut se définir en huit points:

1. **Méthodes de commandement:** Celles-ci sont de nature autoritaire, caractérisées par l'expression d'une faible relation de confiance entre supérieurs et subordonnés.

2. **Forces motivationnelles:** Les motifs portent sur le besoin d'argent, l'*ego*, le statut, le pouvoir, et quelquefois la crainte. La direction a une confiance condescendante envers ses employés, tel un maître envers ses serviteurs. En général, les employés ne se sentent pas responsables de l'atteinte des objectifs. On trouve de l'insatisfaction et rarement de la satisfaction au travail avec les pairs, les gestionnaires et l'organisation.

3. **Processus d'influence:** Il existe peu de travail en équipe et peu d'influence ascendante, sauf par des moyens informels. L'influence descendante, quant à elle, est surtout moyenne.

4. **Processus d'établissements d'objectifs:** On trouve des ordres avec quelques commentaires possibles. Il y a une acceptation ouverte des objectifs mais une résistance clandestine.

5. **Objectifs de performance et de formation:** L'institution fixe des objectifs de rendement élevés mais fournit peu de soutien à ses membres quant à la formation et au perfectionnement.

6. **Modes de communication:** Il y a peu de communication ascendante, descendante et latérale. Les interactions entre supérieurs et subordonnées sont établies avec condescendance par les supérieurs et avec précaution par les subordonnés.

7. **Processus de prise de décision:** Les politiques sont décidées au sommet mais quelques décisions touchant leur application sont faites à des niveaux plus bas et basées sur de l'information adéquate et juste. Les décisions sont prises sur une base individuelle, décourageant le travail en équipe.

8. **Processus de contrôle:** Le contrôle est effectué au sommet. Les données sont généralement incomplètes et inadéquates.

Une organisation informelle se développe quelquefois mais ne résiste pas toujours aux buts de l'organisation.

Il convient de souligner que le développement du climat organisationnel ne dépend pas seulement des supérieurs mais est plutôt relié à la dynamique qui s'est développée entre supérieurs et subordonnés. La page suivante reprend le questionnaire de climat distribué aux membres de votre institution ainsi que les résultats aux différentes questions en fonction du nombre d'instruments de mesure qui m'ont été retournés.

Tableau 8. Résultats de l'école Alpha aux énoncés du Questionnaire sur le climat organisationnel

PROFIL DES CARACTÉRISTIQUES DE L'ÉCOLE

Variables de l'organisation

				Score
1. Dans quelle mesure fait-on confiance aux enseignants?	Presque pas	Un peu	Pas mal	Beaucoup — 13.34
2. Dans quelle mesure se sentent-ils libres de parler du travail avec leurs supérieurs?	Pas très libres	Assez libres	Libres	Très libres — 13.22
3. Avec quelle fréquence les idées des enseignants sont-elles recherchées et utilisées de façon constructive?	Rarement	Quelquefois	Souvent	Très souvent — 9.22
4. Qu'utilise-t-on de façon prédominante: 1) la crainte, 2) les menaces, 3) les sanctions, 4) les récompenses, 5) la motivation au travail?	1, 2, 3 occasionnellement 4	4, un peu 3	4, un peu 3 à 5	5, 4, sur une base de groupe — 10.44
5. Où se sent-on responsable pour atteindre les buts de l'école?	Surtout au sommet	Au sommet et aux échelons moyens	Pratiquement à tous les échelons	À tous les échelons — 10.84
6. À quel point le travail de coopération en équipe existe-t-il?	Très peu	Relativement peu	Modérément	Beaucoup — 11.84
7. Quelle est la direction naturelle de circulation de l'information?	Vers le bas	Vers le bas surtout	Vers le bas et vers le haut	Vers le bas, vers le haut et latéralement — 9.65
8. Comment la communication vers le bas est-elle acceptée?	Avec suspicion	Plutôt avec une certaine suspicion	Avec prudence	Avec un esprit réceptif — 12.84
9. Quel est le degré d'exactitude de l'information ascendante?	Habituellement inexacte	Souvent inexacte	Souvent exacte	Presque toujours exacte — 11.43
10. Dans quelle mesure les supérieurs connaissent-ils les problèmes rencontrés par leurs enseignants?	Pas très bien	Assez bien	Bien	Très bien — 8.53
11. À quel échelon les décisions sont-elles prises?	Surtout au sommet	La politique au sommet et une certaine délégation	Les orientations générales au sommet, et plus de délégation	À tous les échelons et d'une façon bien intégrée — 7.06
12. Les enseignants sont-ils impliqués dans les décisions concernant leur travail?	Presque jamais	Ils sont consultés à l'occasion	Ils sont généralement consultés	Ils sont pleinement impliqués — 10.06
13. Dans quelle mesure le processus de prise de décision contribue-t-il à motiver les gens?	Pas beaucoup	Relativement peu	Une certaine contribution	Une contribution substantielle — 7.51
14. Comment les buts de l'école sont-ils établis?	Des ordres sont donnés	Des ordres, quelques commentaires sont demandés	Après discussion, par ordre	Par action de groupe (sauf en période de crise) — 10.43
15. Dans quelle mesure existe-t-il une résistance?	Forte résistance	Résistance modérée	Résistance modeste et occasionnelle	Peu ou pas de résistance — 11.24
16. À quel échelon les fonctions de contrôle et d'évaluation sont-elles concentrées?	Concentration très élevée au sommet	Concentration assez élevée au sommet	Délégation modérée aux échelons plus bas	Les fonctions sont largement partagées — 9.81
17. Existe-t-il une organisation informelle (non officielle) résistant à l'organisation formelle (hiérarchique)?	Oui	Habituellement	Quelquefois	Non. Organisations formelle et informelle ont les mêmes buts — 9.33
18. Quelle utilisation fait-on des informations recueillies sur les coûts, la productivité et autres données de contrôle?	Établir les règles et sanctionner	Récompenser et sanctionner	Récompenser et servir de guide à l'individu	Service de guide à l'individu et résoudre les problèmes — 11.16

À la lecture du profil général du questionnaire, il apparaît que les points faibles de votre climat, tel que mesuré, sont les suivants:

1. Les enseignants ont l'impression qu'on les consulte peu, qu'on fait fi de leurs idées et de leurs suggestions et que la rétroaction (*feed-back*) est rarement présente ou constructive;

2. Les mobiles utilisés pour motiver les enseignants ne sont pas adaptés à leurs besoins. L'utilisation de sanctions ou de récompenses favorise peu l'implication des enseignants, qui ont l'impression de ne pas être traités comme des professionnels;

3. La communication et la circulation des informations posent problème. Les enseignants ont l'impression que ce qu'ils ont à dire ne se rend pas au sommet de leur institution ou que l'on prête peu d'intérêt à leurs propos. Ces problèmes de communication peuvent être à l'origine du manque de connaissance par les supérieurs des problèmes rencontrés par les enseignants. Moins on a l'impression d'être écouté, moins on parle et moins les autres peuvent connaître la situation;

4. Ce problème de communication peut être à l'origine de la mauvaise perception par les enseignants du processus de décision en vigueur dans leur institution. Moins les supérieurs reçoivent de l'information valable de leurs subordonnés, plus les risques de prendre de mauvaises décisions sont grands. On entre ici dans un cercle vicieux où les erreurs dans la prise de décision engendrent une détérioration de la communication;

5. Les enseignants ont l'impression d'être rarement consultés, que cette consultation sert peu et qu'elle ne les motive pas dans leur travail. Ils ont l'impression que les objectifs et les buts de leur institution sont déterminés sans qu'on tienne véritablement compte d'eux. Il ne faut pas oublier que les individus se sentent pleinement impliqués dans leur institution quand ils ont l'occasion de participer aux décisions les concernant;

6. L'état dans lequel se trouvent les processus de communication et de prise de décision fait en sorte que les membres de cette institution ont l'impression que le contrôle de leur travail leur échappe;

7. Finalement, il semble exister des groupes ou cliques qui sont en conflit les uns avec les autres, ainsi qu'avec l'organisation en entier.

Conclusion

Il faut souligner que les résultats présentés ici sont le fruit d'une étude préliminaire. Il aurait été intéressant que les questionnaires soient dûment complétés par tous les membres de l'institution afin qu'il soit possible de faire des analyses comparatives par secteur. La première intervention souhaitable serait de travailler à améliorer la communication en favorisant le processus d'information, en informant plus les gens et plus librement. Une deuxième intervention devrait porter sur le processus de prise de décision en décentralisant ce processus et en responsabilisant les gens qui y sont impliqués. Finalement, comme il semble y avoir des groupes ou cliques en crise à l'intérieur de l'institution, un processus d'arbitrage impliquant les leaders de ces groupes pourrait s'avérer utile en autant que les membres de la direction restent neutres. Les interventions cherchant à revaloriser le climat de travail seront valables à partir du moment où la direction et tous les membres de l'institution seront pleinement intéressés à régler le problème.

4.3.2   Le cas de l'école secondaire Bêta

Le cas qui suit présente une analyse du climat organisationnel effectuée dans une école secondaire suisse romande au cours de l'année 1996[1]. Cette étude a utilisé le questionnaire de climat organisationnel de Likert, *Profile of a School* (Likert, 1972), modifié

---

1. Nous désirons remercier M. Marc Thiébaud, psychosociologue, qui a permis la réalisation de cette étude.

168

et adapté selon la réalité culturelle et sociale de cette organisation. La consistance interne de l'instrument a été vérifiée et s'est avérée excellente. La consigne demandait aussi d'indiquer la perception du climat actuel et la perception du climat idéal. Cinquante des 64 enseignants de cette institution ont répondu à ce questionnaire.

Dans ce qui suit, le lecteur trouvera un prototype du rapport présenté à la direction de l'institution.

Rapport d'évaluation du climat organisationnel à la Commission scolaire Bêta

CONFIDENTIEL

Définition du climat

Le climat de travail peut être défini comme:

la perception partagée par les membres d'une organisation scolaire quant à la façon dont ils sont traités.

L'étude des résultats fournis par les 50 enseignants de votre institution laisse voir un climat à la frontière du fermé et de l'ouvert. La différence entre le climat actuel et le climat idéal dénote une certaine insatisfaction chez les répondants. Ils aimeraient que leur climat soit plus ouvert qu'il ne l'est maintenant.

Climat frontière

Si on se fie à la conception de Likert, le climat actuel pourrait être perçu comme faiblement consultatif. Les enseignants aimeraient qu'il soit beaucoup plus participatif. Regardons plus en détail chacune des dimensions du climat mesurées par cet instrument de mesure tel que présenté à la figure 10.

1. Climat (causales)

Selon les enseignants, la définition des objectifs de travail est un élément qui laisse à désirer. Ils aimeraient être consultés sur leurs objectifs de travail et vivre avec un encadrement plus participatif ainsi qu'un travail d'équipe plus coopératif.

2. Leadership (causales)

De façon générale, les éléments associés au leadership sont perçus comme étant assez ouverts, bien qu'il y ait place à l'amélioration. Le système de prise de décision est l'élément le plus critiqué. Les enseignants estiment qu'ils devraient être plus impliqués dans les décisions qui sont prises dans l'établissement et qui les touchent.

3. Confiance (causales-intermédiaires)

La confiance mutuelle, enseignants-direction et direction-enseignants, s'est révélée assez satisfaisante. Cet aspect constitue même une des dimensions les plus fortes du climat actuel. C'est un élément important sur lequel la direction peut compter pour améliorer le climat.

4. Autres variables (intermédiaires)

Les éléments suivants sont perçus comme étant faiblement consultatifs et méritent aux yeux des participants une amélioration. Ce sont: l'influence perçue, les interactions entre les pairs, la motivation et l'acceptation des objectifs par les enseignants. La communication est l'élément le plus faible non seulement de cette dimension mais aussi du climat actuel. Ce serait la première dimension à améliorer que ce soit entre enseignants et élèves ou entre direction et enseignants.

5. Résultats

L'attitude envers l'école et la qualité de l'enseignement sont des éléments faiblement consultatifs et qui gagneraient à être améliorés.

6. Frustration

L'influence recherchée par les enseignants sur le plan du fonctionnement de l'école est jugée assez consultative et cette situation semble les satisfaire.

Conclusion

Nous venons de vous présenter des exemples de rapports destinés à la direction et aussi aux employés qui ont participé à une étude évaluative de leur climat de travail. Dans tous les cas, il est important que le rapport remis aux participants respecte les conditions suivantes:

1. Il doit être bref, succinct et précis. La haute direction autant que les employés n'ont pas toujours le temps de lire de longs documents;

2. Le vocabulaire utilisé doit être très accessible et tenir compte des employés peu scolarisés;

3. Il faut présenter verbalement le rapport afin d'éviter toute confusion et afin d'ajuster les données exposées à la compréhension des interlocuteurs (voir la technique du *survey-feed-back* présentée antérieurement);

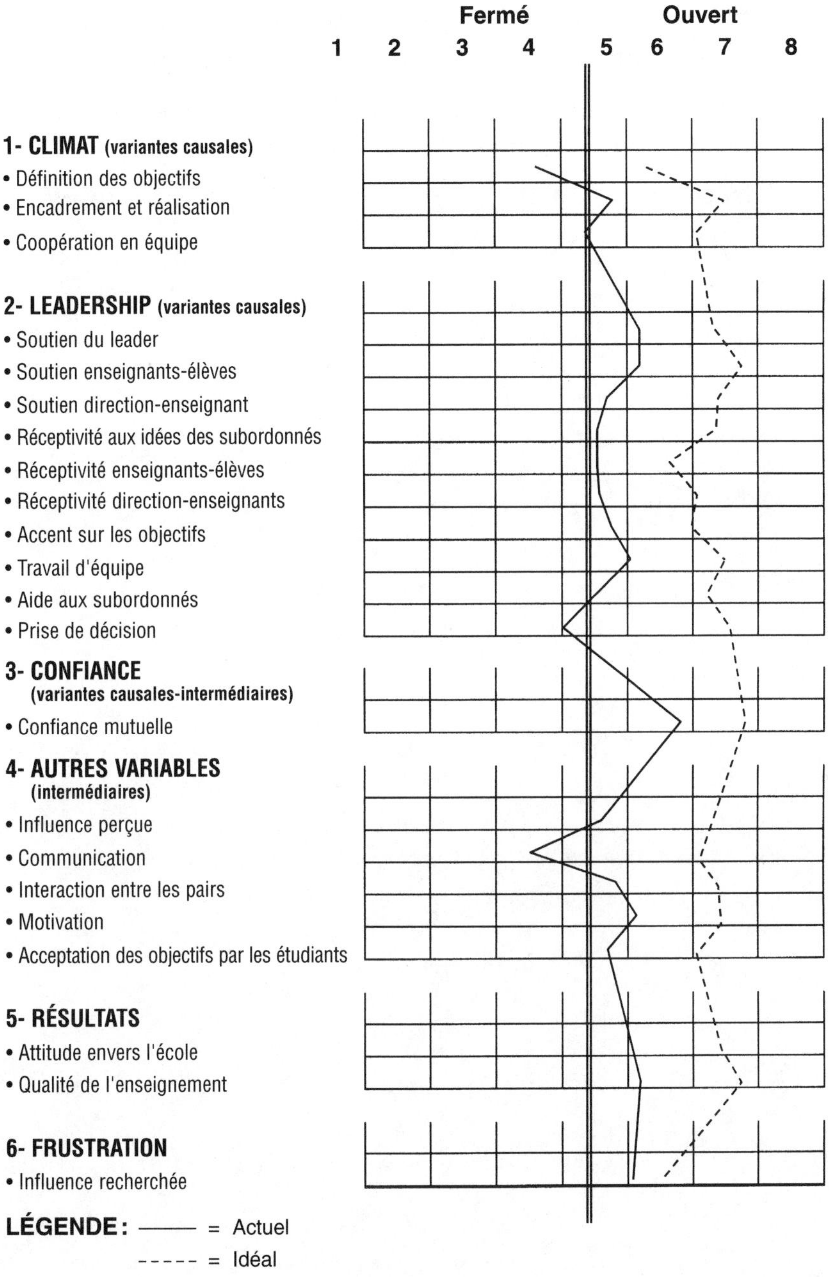

Figure 10. **Profil du climat organisationnel de l'école Bêta (n = 50)**

4. Il faut toujours présenter au début du rapport ce qu'on entend par climat organisationnel afin d'éviter toute confusion;

5. Il faut utiliser des figures ou des tableaux afin de donner une représentation graphique des résultats aux participants;

6. Il faut en tout temps respecter la confidentialité des participants.

Chapitre 5

Changer le climat organisationnel

Changer le climat organisationnel n'est certes pas une chose facile. Le climat d'une institution peut s'être détérioré rapidement, mais sa reconstruction pourra prendre plusieurs années, car le climat est une résultante de trois types de variables importantes, soit les variables intermédiaires, modératrices et finales. Il est plus économique d'intervenir sur les variables causales, lesquelles appartiennent toutes à l'environnement ou à l'entourage des employés, que sur les variables intermédiaires qui, elles, constituent les composantes mêmes du climat. En effet, lorsque le climat organisationnel est perçu négativement de façon généralisée, c'est que les éléments opérants agissent à l'échelle de l'organisation, d'où la pertinence d'agir sur les causes plutôt que sur les variables intermédiaires activées par ces causes. Quant aux variables modératrices, qui relèvent toutes des caractéristiques individuelles, elles s'avèrent peu modifiables à court ou même à moyen terme, d'où leur exclusion comme cible de changement.

Les interventions visant à changer le climat organisationnel se font généralement par le biais de la pratique du développement organisationnel.

L'établissement ou le rétablissement d'un climat organisationnel ouvert et centré sur la confiance est un préalable à toute autre forme d'intervention. C'est ce qui peut expliquer les raisons pour lesquelles, selon Bareil (1998), entre 35 % et 75 % des changements organisationnels échouent quand les employés affectés par ces derniers ne peuvent les intégrer dans leurs attitudes de travail.

La notion de changement est en elle-même assez difficile à cerner. Watzlavick *et al.* (1975), voir Gilbert et Thiébaud (1998), font la distinction entre changement de premier ordre et changement de second ordre. Si le changement de premier ordre consiste dans une modification à l'intérieur d'un système qui reste inchangé, le changement de deuxième ordre modifie le système lui-même. Il s'agit donc, selon Gilbert et Thiébaud (1998), d'un métachangement qui change la manière de s'y prendre pour réaliser le changement. Toute modification de l'une des dimensions du climat organisationnel est susceptible d'entraîner la modification d'autres dimensions.

Pour en revenir à la définition du changement organisationnel, Porras et Robertson (1992) postulent qu'on peut le décrire comme étant une intervention planifiée, inspirée des sciences comportementales, en milieu de travail dans le but d'améliorer le fonctionnement organisationnel et le développement individuel.

Pour Brassard (1996), selon la conception situationnelle, le changement est défini comme un processus plus ou moins complexe par lequel sont modifiés un ou plusieurs éléments de l'organisation. Le changement vise soit l'adaptation de l'organisation, soit son développement. Par adaptation, il faut entendre tout changement qui constitue une réponse à une modification de l'un ou l'autre ou de l'ensemble des facteurs de la situation organisationnelle, notamment de son environnement, et qui vise à maintenir l'efficacité de l'organisation et à assurer sa survie.

Ce processus peut prendre la forme de stratégies éducatives telles que le groupe de croissance (*training-group*), le perfectionnement ou toute forme d'intervention visant à changer les politiques, les structures, etc. Le lecteur retrouvera dans la documentation en administration de nombreux écrits portant sur les techniques de changement organisationnel. Par l'emploi d'une ou de plusieurs de ces techniques, on peut donc essayer de modifier le climat d'une organisation. Évidemment, en connaissant la nature interdépendante des variables en jeu (variables causales, intermédiaires, modératrices et finales), le changement doit porter sur l'organisation totale et non seulement sur les individus qui en font partie. En effet, l'intervenant ne doit pas seulement centrer son action sur une composante particulière de l'organisation, prise isolément (comme la communication), mais aussi envisager d'intervenir ou tout au moins d'analyser les autres composantes (comme la structure), s'il veut produire éventuellement un changement profond et durable du climat. Le changement provoqué dans une composante peut être annihilé par l'état inchangé d'une autre. Il faut aussi tenir compte de l'effet d'entraînement d'une composante modifiée sur les autres dimensions.

Dans la documentation portant sur le développement organisationnel, nous retrouvons plusieurs types de stratégies d'actions mais peu portent sur la modification du climat organisationnel. Néanmoins, les plus communes portent sur l'intervention, soit auprès de la direction, soit auprès des employés. C'est le diagnostic du climat qui devrait indiquer les dimensions sur lesquelles on doit intervenir en premier.

5. Approches de modification du climat organisationnel

Ainsi, on ne trouve presque pas dans la documentation de techniques ou de méthodologies portant sur la modification du climat organisationnel. L'accent est surtout mis sur le diagnostic et rarement sur le changement. Hoy et Miskel (1996), les rares auteurs à traiter de ce sujet, font mention de deux stratégies pouvant être utilisées: la stratégie clinique et la stratégie centrée sur la croissance. Selon ces auteurs toute procédure de changement de climat doit être envisagée comme une procédure organisationnelle à long terme. Changer le climat d'une institution requiert du temps surtout quand il faut modifier des procédures et des façons de faire qui sont ancrées depuis longtemps chez des acteurs organisationnels. La volonté de changer est aussi nécessaire, il faut que la haute direction, et l'organisation dans son ensemble, veuille faire des efforts pour modifier le climat. On observe fréquemment des dirigeants qui, paniquant devant un diagnostic peu flatteur du climat de leur organisation, refusent toute forme d'intervention en vue de le modifier.

Étudions plus en détail les deux approches mentionnées par Hoy et Miskel (1996).

5.1 Stratégie clinique

Cette stratégie s'appuie sur le postulat que la manipulation des interactions intergroupes ou interpersonnelles peut provoquer des changements. Elle comporte cinq étapes:

1) Découverte de l'organisation

Le consultant se doit de connaître la dynamique de l'institution par des observations, des analyses et une étude rigoureuses. Il s'agit ici d'essayer de connaître, non seulement les normes et les valeurs de l'organisation, mais surtout les perceptions profondes entretenues par les membres. L'utilisation d'une mesure valide du climat, d'un questionnaire conçu spécialement selon la définition épistémologique du climat facilite la tâche et permet d'obtenir une véritable évaluation de l'environnement immédiat des employés. Cette première étape est extrêmement importante. Trop souvent, des consultants utilisent des instruments de mesure non valides ou conçus originellement à d'autres fins (c'est-à-dire, utiliser un questionnaire conçu pour mesurer la satisfaction au travail afin d'évaluer le climat), qui rend aléatoire une compréhension du climat.

2) Diagnostic

Il s'agit d'étiqueter les différents problèmes (communication, prise de décision, motivation, etc.) et de déterminer, sans ambiguïté, les dimensions les plus faibles du climat. Plus le consultant pourra déterminer clairement les différentes dimensions et les inclure dans un cadre référentiel valide, plus son diagnostic sera efficace.

3) Pronostic

À cette étape, le consultant juge de la gravité de la situation et développe des priorités opérationnelles pour améliorer le climat. Le consultant doit aussi vérifier chez le patronat et les employés la volonté effective de changer le climat.

4) Prescription

Cette étape porte sur les recommandations à mettre en place pour améliorer le climat. Il vaut mieux éviter de proposer des solutions simplistes ou inapplicables. Pour améliorer le climat d'une façon stable et durable, le consultant doit s'attendre à proposer des modifications qui vont souvent porter sur les normes et les valeurs organisationnelles.

5) Évaluation

Le consultant doit s'assurer que les solutions proposées sont efficaces. Pour ce faire, il se doit de mettre en place (en accord avec la direction de l'organisation) un mécanisme de suivi (*follow-up*) régulier, au moins à tous les trois mois, pour évaluer les changements dans le climat et réajuster les interventions si nécessaire. Puisque l'amélioration du climat organisationnel évolue lentement, il faut suivre l'évolution des changements avec régularité.

5.2 Stratégie centrée sur la croissance

Cette stratégie implique que la direction de l'organisation reconnaisse que le développement de cette dernière passe par le développement personnel de ses membres. Les postulats à la base de cette stratégie sont les suivants:

1. Le changement est la caractéristique d'une organisation en santé. La direction doit accepter que l'organisation et le climat soient en perpétuel changement.

2. Le changement est orienté; il peut être positif ou négatif, progressif ou régressif.

3. Le changement doit être synonyme de progrès; il doit amener l'organisation à atteindre ses objectifs.

4. Les employés sont ceux qui sont le plus en mesure de développer et d'implanter le changement. La direction doit fournir à ses employés le plus de liberté et de responsabilité possibles dans la gestion de l'organisation.

Cette stratégie, une fois appliquée, devrait permettre d'instaurer des politiques de croissance favorisant le développement professionnel. Ceci implique que la haute direction fera tout en son pouvoir pour contribuer à la croissance professionnelle de ses employés. Cette approche devrait permettre de rétablir un climat de confiance. C'est donc une stratégie qui porte plutôt sur l'employé que sur l'organisation.

5.3 Stratégie intégrée de modification du climat organisationnel

Cette approche se veut une suite de la méthodologie de la consultation présentée au chapitre 4 tout en intégrant les bases des stratégies cliniques et de croissance et elle comporte cinq phases, qui sont: le diagnostic, la gestion du changement, l'intervention, l'évaluation et le suivi.

1) Diagnostic

Il s'agit de la phase la plus importante de ce processus. Il n'existe pas de recettes pour résoudre un problème de climat. C'est la qualité du diagnostic qui déterminera l'efficacité des changements et des interventions. Le consultant peut s'inspirer de la méthodologie de la consultation présentée au chapitre précédent tout en s'assurant de la validité de son instrument de mesure tant sur le plan psychométrique que conceptuel. Il est important de repérer les dimensions les plus faibles du climat, les premières sur lesquelles portera l'intervention. Les dimensions les plus fortes du climat doivent aussi être ciblées afin de servir de levier ou de point d'appui au changement. Par exemple, si dans son diagnostic le consultant observe que la dimension «prise de décision» est la plus faible et la dimension «communication» la plus forte, il pourra utiliser le réseau de communication pour faire changer le processus décisionnel.

À cette étape, il faut donc que les parties (patronat et employés) prennent connaissance des problèmes (par une technique semblable à celle du *survey-feed-back*) ainsi que des changements possibles. Le consultant à qui l'on demande d'agir joue à ses débuts un rôle de pompier. On lui demande généralement d'intervenir parce que la situation est rendue invivable ou intenable. Il doit donc, dans cette phase, fournir de nouvelles connaissances aux deux parties et leur faire prendre conscience qu'il existe d'autres systèmes organisationnels.

2) Gestion du changement

À cette étape, le consultant doit s'assurer que le patronat ait bien compris le diagnostic et s'engage à appuyer les changements proposés. Il s'agit ici de dissiper les doutes et de rendre claires les volontés. La haute direction doit s'engager à mettre à exécution et à appuyer les changements proposés, qui iront dans le sens d'une amélioration du climat dans la mesure où ils seront réalisables politiquement et économiquement. Les employés doivent aussi avoir une nette compréhension des changements qui surviendront dans leur milieu de travail.

3) Intervention

Si des changements, des améliorations et des réajustements s'imposent sur le plan des variables causales et résultantes, c'est à cette étape-ci qu'il faut commencer à les mettre en application. En même temps, il faut penser aux changements d'attitudes (variables modératrices) susceptibles de survenir au sein des deux parties en cause. Le consultant doit aussi s'assurer de la qualité pédagogique de sa stratégie d'intervention. Est-elle réaliste? Sera-t-elle comprise de tous?

4) Évaluation

Cette étape est évaluative puisqu'il s'agit de vérifier si le climat et le rendement au travail ont évolué dans le sens des interventions proposées à la phase précédente. Ont-ils atteint les objectifs fixés? Si des réajustements s'imposent en fonction de l'évaluation, c'est dans cette phase qu'il faut les effectuer. Les changements dans le climat organisationnel exigeant du temps, il est préférable que le consultant laisse s'écouler une période minimum de trois mois entre la fin d'une intervention et son évaluation.

5) Suivi

Cette dernière étape est celle où on formalise et intègre les changements dans la nature même de l'organisation afin d'augmenter son efficacité. La mise en place d'un système de suivi par la haute direction permet de contrôler et de renforcer les changements de façon qu'ils forment un tout avec l'organisation. Le patronat doit donc soutenir et renforcer les modifications de comportement qui surviendront chez les employés allant dans le sens d'une amélioration du climat. Redonner confiance aux employés est une opération qui exige temps et doigté.

Dans le même ordre d'idées, Lippitt (1981), dans une recherche effectuée pour mesurer le climat organisationnel du système scolaire américain, énonce quelques principes dont tout administrateur devrait tenir compte dans le développement et le maintien d'un climat de soutien au travail. Les voici:

a. Pour rendre vos employés plus dynamiques au cours des réunions, vous devez leur laisser la chance de participer à la discussion plutôt que de créer une situation qui les rend apathiques et méfiants;

b. Ne croyez pas que vos supérieurs seront automatiquement contre ce que vous allez leur proposer. Une planification intéressante et bien soutenue a des chances de soulever leur intérêt;

c. Les individus qui seront touchés par une décision doivent participer à son élaboration et à son application;

d. Les conflits doivent être perçus comme des éléments dynamiques permettant l'émergence d'idées nouvelles;

e. Soulignez l'atteinte des objectifs de vos employés, surtout s'ils travaillent sur un projet important.

Bref, il n'est pas facile de changer le climat d'une organisation. Cela requiert du temps et la participation de tous les individus concernés. Cela implique aussi que la direction n'ait pas peur de remettre en question la base de fonctionnement même de son organisation. Certes, il existe de nombreuses stratégies de développement organisationnel. Cependant, elles ne doivent pas être appliquées aveuglément sans connaître le rôle effectif joué par les composantes du climat. C'est pourquoi un ciblage précis du problème doit être envisagé avant d'intervenir sous une forme ou une autre, d'autant plus que la nature même du climat organisationnel est difficile à établir. L'intervenant doit résister à la tentation d'utiliser systématiquement des programmes de développement organisationnel déjà existants. Le programme et la méthodologie qu'il utilisera (perfectionnement, groupe de croissance, etc.) devront être conformes à la volonté des gens en place, à l'état des composantes du climat de l'organisation et aux objectifs à atteindre. Finalement, selon la gravité du problème à résoudre les trois stratégies que nous venons de présenter peuvent être utilisées conjointement dans un processus de changement.

5.4 Cas pratique de changement

Cette intervention de changement du climat de travail dans un Centre local de services communautaires (CLSC) qu'on appellera le «Centre», fait suite à un diagnostic organisationnel appelé «Bilan de santé». Ce bilan dressait, selon le modèle de Morin *et al.* (1994), le degré d'efficacité de la composante humaine de l'organisation, notamment en regard de la mobilisation des ressources humaines, du climat de travail, de la compétence des acteurs et de leur productivité. De plus, il avait inventorié divers leviers pouvant expliquer ou modifier ces divers degrés d'efficacité.

Un cas de changement de climat

Un diagnostic effectué dans un CLSC qu'on appellera «Centre» révèle une situation généralement positive, à l'exception du climat de travail. Le personnel du Centre manifeste des réserves surtout à l'endroit du processus décisionnel des dirigeants, de l'adéquation des ressources aux besoins, de l'information qu'on lui transmet, de l'attention et du soutien qu'il reçoit. Il estime qu'on pourrait améliorer ce climat de travail en bonifiant davantage la gestion d'équipe et les modalités de prise et d'application des décisions par les dirigeants. Il estime également que la motivation au travail et l'identification au Centre pourraient encore être plus élevées si, aux changements déjà suggérés, s'ajoutaient plus d'information le touchant et le concernant, une meilleure utilisation des ressources en fonction des besoins, et enfin une attention plus grande du Centre à son égard.

Dans tous les cas de figure, l'amélioration de la situation, jugée de façon positive, passe par une bonification de la gestion d'équipe et du processus de décision et d'action des dirigeants.

Fondamentalement, on pourrait dire que les employés déploraient les déficiences dans la communication et le climat de travail, qu'ils attribuaient surtout à la façon dont les dirigeants prenaient action et décision. Ce fut le cadre d'analyse du consultant.

La nature du sondage permettait de repérer des zones problématiques vécues par l'un ou l'autre des groupes d'emploi de même que des pistes générales de solution, mais ne permettait pas de spécifier les problèmes soulevés ni d'y apporter des solutions opérationnelles. Face à ce constat, le comité PDRH (Plan de développement des ressources humaines) qui supervisait le diagnostic depuis le début proposa de passer en mode intervention.

Début de l'intervention changement organisationnel

Le texte qui suit place côte à côte, sur deux colonnes, les actions qui ont été entreprises et le justificatif de ces actions afin d'illustrer à la fois la démarche concrète et le raisonnement la sous-tendant.

ACTIONS

Ce comité PDRH, composé de dirigeants du Centre (le directeur général et son adjoint), de représentants des divers corps d'emploi et groupes d'intérêts légalement reconnus dans les CLSC, s'était adjoint un consultant pour l'accompagner dans l'exécution de ses travaux.

1. Passage en mode intervention organisationnelle

On demanda au consultant de produire un aperçu des grandes opérations à effectuer afin d'exploiter ce diagnostic à des fins de développement organisationnel. Ce document marquait le départ d'une nouvelle étape, bien distincte du diagnostic. Le consultant émit les quatre recommandations suivantes:

1.1 Propositions du consultant

1. **Que les membres du comité PDRH relativisent avant sa complète diffusion, le diagnostic** en fonction de leur expérience comme gestionnaires, responsables syndicaux, représentants de groupes d'intérêts, de manière à ce que les finalités de l'organisation et les enjeux des individus membres du CLSC soient également satisfaits. C'est à la suite de cette relativisation que le plan PDRH pourrait être proposé.

EXPLICATIONS

L'implantation d'un changement organisationnel s'effectue plus aisément si les principaux groupes d'intérêts sont représentés équitablement. Ainsi, la plupart des différends apparaissant au sein du comité directeur se résolvent au sein de ce même comité et les approches retenues sont généralement plus viables lorsque vient le moment de les implanter.

Pour la production de ce canevas, le consultant retint le modèle docteur-patient, car le comité PDRH avait manifestement besoin qu'on l'oriente dans un champ qui, momentanément, dépassait ses compétences. De plus, le caractère générique des propositions ne compromettait aucunement des changements ultérieurs, même substantiels.

Un diagnostic bien fait touche forcément des zones sensibles et vulnérables de l'organisation, tout comme il constate des dimensions fortes et progressistes; il lève le voile sur des états de fait (positifs ou négatifs) qu'on a maintenus sous le boisseau, qu'on ignorait délibérément ou qui étaient passés inaperçus; il met à jour des pratiques et des conduites, tant productives que contre-productives, que les membres de l'organisation peuvent associer à des personnes ou à des groupes spécifiques.

EXPLICATIONS

C'est le rapport public qui concrètement incorpore ces éléments paradoxaux. D'où la pertinence de rédiger le rapport dans des termes qui susciteront davantage de forces propulsives que de forces neutralisantes (Lewin, 1951) et qui seront culturellement et socialement acceptables par l'organisation plutôt que strictement orthodoxes sur le plan scientifique ou théorique.

Par cette recommandation, le consultant adopte le modèle consultatif, dans lequel les partenaires s'approprient les décisions d'orientation à partir de données objectives (sondage) et accessibles à tous les partenaires (transparence).

Le recours à des groupes de discussion relance la participation et l'implication du personnel dans la résolution des problèmes jugés prioritaires par le comité PDRH. On sait qu'une transformation organisationnelle réussie résulte de l'intégration d'une multitude de changements à l'échelle individuelle, d'où le bien-fondé d'impliquer de nouveau le personnel à l'opération changement.

ACTIONS

Le client doit être en mesure d'absorber le message déstabilisant si on veut qu'il y ait changement. Favoriser un climat de coopération dans une équipe composée de membres représentant des intérêts divergents repose sur cet équilibre d'objectivation et de transparence à propos d'enjeux hautement importants pour tous.

2. **Que le comité PDRH détermine les prochaines cibles de son action** en tenant particulièrement compte des résultats faibles dans le diagnostic et qu'il privilégie les grandes voies par lesquelles il souhaiterait obtenir les résultats escomptés.

3. Pour pallier les insuffisances du sondage, utiliser des groupes de discussion afin d'appréhender avec le plus de certitude et d'exactitude possible ce que les membres du Centre ont en tête lorsqu'ils traiteront soit d'un résultat global, soit d'un levier générique que le comité PDRH juge indispensable à la poursuite des travaux.

4. Accroître encore davantage la consultation et la participation selon l'esprit même du PDRH.

ACTIONS

1.2 Décisions du comité PDRH

À la suite de cette esquisse d'action, il fut convenu:

1. que le comité PDRH réviserait le rapport du consultant afin de l'ajuster aux réalités sociopolitiques de Centre sous la forme d'un rapport efficace mais non invasif qui serait diffusé à l'ensemble du personnel;

2. que le consultant proposerait une démarche plus opérationnelle d'exploitation des résultats de l'enquête Bilan de santé;

3. qu'une journée d'étude, pour les membres du comité PDRH aurait lieu afin qu'ils prennent connaissance de toutes les composantes de leur mandat.

1.3 Un cadre opérationnel de référence pour l'amélioration continue

Ce document proposait une démarche d'amélioration continue des compétences liées principalement à la façon de transiger avec autrui (climat de travail) et de mobiliser le personnel. Ces deux objectifs furent retenus, car c'étaient ceux dont les améliorations bénéficieraient le plus à l'ensemble de l'organisation.

Ce document s'inscrivait de plain-pied dans la perspective de l'organisation apprenante, où tout est mis en œuvre pour que les apprentissages individuels et collectifs soient favorisés sur une base continue.

EXPLICATIONS

Puisque le comité PDRH devenait l'agent de changement dans ce processus d'évolution organisationnelle, il devenait imparable de former ses membres aux défis du développement organisationnel.

Il fallait choisir un cadre théorique pour illustrer et imager ce à quoi pouvait aboutir la prochaine étape de changement. Le consultant a opté pour l'appariement culturel plutôt que pour la confrontation culturelle. Le cadre de l'organisation apprenante concrétisait tout un ensemble de micro-objectifs et de moyens pouvant être mis en œuvre et renforçant les lourdes tendances de cette organisation.

EXPLICATIONS

Ceci afin de favoriser l'apparition d'autres types d'échanges que ceux limités au travail chez des partenaires représentant des intérêts différents et aussi pour échapper un peu au cadre physique à la fois déclencheur et témoin des schémas stables d'échanges fonctionnels ou hiérarchiques.

Un tel exercice, aussi simple qu'il puisse paraître, permet à chaque membre d'exprimer son opinion personnelle du degré auquel l'organisation serait prête à engager un changement majeur et ceci sans risque d'être pris à partie.

La mise en commun des évaluations individuelles aboutit à une appréciation collective qui s'inscrit dans la lignée des concepts de l'efficacité collective et du potency.

ACTIONS

1.4 Tenue d'une journée d'étude pour les membres du comité PDRH

1. Cette journée commença par un petit-déjeuner dans un restaurant de qualité et se continua en sessions de travail hors des lieux habituels.

2. Les membres du comité PDRH, à l'aide d'une grille d'évaluation de la capacité de changement organisationnel, ont évalué que le Centre détenait, selon les critères de l'instrument, environ 70% des éléments pouvant faciliter l'implantation d'un changement de climat au sein de leur organisation. Autrement dit, les membres du comité PDRH estimaient à 70% les probabilités de réussite du changement envisagé.

Par ailleurs, toutes les évaluations partagées faibles sont systématiquement discutées et les réactions inventoriées étant donné leur incidence potentiellement négative sur le succès de l'opération.

ACTIONS

Le comité PDRH a retenu unanimement deux problématiques pour la poursuite des travaux, à savoir: la communication et le climat de travail.

Pour chacune des problématiques, le comité s'est livré à l'exercice de déterminer ses causes, ses solutions et même d'établir des protocoles à suivre pour remédier à ses lacunes dans les communications ou le climat de travail.

1.5 Un rapport d'enquête efficace mais non invasif

Avant que les résultats du diagnostic ne soient diffusés dans toute l'organisation, le comité PDRH a effectué une analyse approfondie de ces résultats. Quand la portée et le sens de ces résultats furent bien clairs pour tous, le comité s'est livré à un exercice de récriture de manière à éviter toute possibilité d'identification d'acteurs individuels.

EXPLICATIONS

Lorsqu'on est à la fois ordonnateur et cible du changement, ce qui était le cas des membres du comité PDRH, il est utile d'expurger, de se libérer, d'élucider ses représentations des problèmes, des causes, des solutions, et ceci pour deux raisons. Premièrement, l'expression du modèle idéal permet de discuter des attentes, des souhaits, sur quoi une équipe peut diverger, car ce n'est pas tant sur les réalités qu'il y a mésentente que sur ce qu'on voudrait que la réalité future devienne. Deuxièmement, l'expression des idéaux libère l'acteur de la charge émotive qui lui est liée et le rend plus disposé à accueillir d'autres visions que la sienne, étant donné que la sienne a été dûment colligée et documentée. Cette libération est essentielle pour les membres du comité PDRH, car ce sont eux qui piloteront les changements et ces derniers ne seront réussis que s'ils correspondent à la vision de l'ensemble du personnel, et non seulement à celle des membres du comité PDRH.

L'objectif étant de changer l'organisation et non pas d'ostraciser qui que ce soit, l'accent fut mis sur les comportements ou les résultats plutôt que sur les personnes pouvant être identifiées comme ayant commis ces gestes ou occasionné ces résultats. Le consensus de toutes les parties était requis pour accepter une modification de formulation.

EXPLICATIONS

Ce genre de réflexion collective est typique d'une organisation orientée vers l'apprentissage collectif. Des membres du comité PDRH ont comparé leur position avant et après la journée d'étude et les travaux qui ont suivi. Ils ont attribué avec justesse la solidité de leurs nouvelles convictions au processus d'appropriation auquel ils avaient été soumis. La modification de la démarche subséquente a été intégralement appuyée par le comité PDRH en dépit de la plus grande durée qu'elle impliquait.

L'approche des préoccupations (concerns) est d'une simplicité et d'une efficacité redoutables. Bareil (1998) a mis en lumière le fait que les individus ne résistent pas vraiment au changement, mais sont plutôt sujets à des préoccupations dont la teneur suit un schéma assez stable, passant de l'indifférence à des préoccupations concernant successivement leur avenir, la maîtrise du changement et l'implantation du changement et l'amélioration du changement.

ACTIONS

2. Réajustement de la stratégie

Cet exercice de récriture couplé à la prise en compte des recommandations du consultant en regard de la visée «organisation apprenante» a amené une conséquence bénéfique et inattendue. Il est devenu évident aux membres du comité PDRH, par les soins de son directeur général, que si les visées étaient valables, l'approche de solution qu'avait adoptée le comité l'était de moins en moins pour l'implantation du changement. Il était clair que le personnel dans son ensemble devait vivre la même expérience d'appropriation qu'avait vécue le comité, et que de cette façon l'engagement du personnel dans ces changements d'attitudes et de comportements serait optimal, tout comme il l'était actuellement chez les membres du comité.

2.1 Diffusion du rapport diagnostique

Ainsi, dans la foulée de cette réflexion, afin de favoriser l'appropriation des résultats par le personnel et de profiter de leur expertise pour résoudre les problèmes repérés dans le sondage, il fut décidé de reporter au retour des vacances la présentation des résultats et l'exploitation des données.

ACTIONS

2.2 Réunion générale d'information sur le processus de consultation conduisant à l'implantation du PDRH

Il fut décidé de tenir deux réunions générales d'information pour annoncer la démarche qui serait appliquée au cours des six prochains mois. Ces réunions se tiendraient au cours de la deuxième semaine de la rentrée, seraient animées par le consultant, en présence de tous les membres du comité PDRH, et répondraient aux préoccupations qu'on anticipait chez le personnel.

Le personnel n'avait pas vraiment eu de nouvelles de l'évolution du dossier PDRH depuis les six derniers mois. Un changement organisationnel réussi commence par des petits changements réussis. Ainsi, il importait, au cours de cette rencontre générale, de relancer le processus. Pour que chaque membre du personnel puisse y participer en dépit de son horaire chargé, les deux réunions générales avaient été planifiées et se sont déroulées de la façon suivante:

– Rappel de l'identité et du rôle du consultant;
– Rappel de ce qu'est un PDRH et du rôle du comité PDRH;
– Résumé de ce qui a été fait par le comité PDRH à ce jour.
– **Rappel de ce qu'on attendait maintenant du personnel;**
C'était l'étape cruciale de la réunion.

EXPLICATIONS

Il fallait marquer le coup, annoncer les actions à venir et respecter l'échéancier qui serait déterminé.

Par ce thème, on abordait l'habilitation (empowerment) des employés dans l'élaboration des solutions qui seraient mises en œuvre au Centre. Cette manière de consulter s'attaquait simultanément au mécontentement des employés quant à la façon dont les décisions étaient prises à ce Centre, car, si les employés contestaient peu le bien-fondé des décisions, ils renâclaient du fait qu'ils avaient l'impression de n'avoir aucune influence sur ces décisions, comme si on ne les avait pas écoutés. L'approche d'habilitation s'avérait tout indiquée pour ce type de problématique, car la méthode même de consultation redonnait un plein pouvoir de recommandation aux employés sur ce qui les concernait.

ACTIONS

Rappel de ce qui peut préoccuper les membres tant sur le plan des communications que sur celui du climat de travail. Qu'est-ce que ça va changer? Quelles sont nos garanties de changement? Qu'est-ce qui va se passer au cours des prochains mois?

L'assurance de l'utilité et de l'utilisation de leur contribution était incluse dans la conception même du processus de consultation. La participation des employés se fera par la tenue de réunions d'équipes animées où l'objectif sera de produire des rapports synthèses des suggestions des employés.

2.3 Conduite des réunions de consultation auprès des employés

Trois grandes séries de rencontres des équipes des différents services ont été prévues. Les thèmes retenus par le comité PDRH (la communication au sein du CLSC et le climat de travail au CLSC) seront abordés dans les deux premières séries de rencontres, qui serviront à recueillir les propositions d'activités pouvant améliorer la situation sur ces deux plans. La troisième rencontre a pour but de valider auprès des équipes la synthèse des conclusions qui auront émergé au cours des deux premières réunions.

EXPLICATIONS

Il était préférable que la chose soit reçue comme allant de soi, comme étant une autre manifestation de la confiance ressentie envers les employés. Les manœuvres conduisant à l'habilitation accrue du personnel doivent être compatibles avec les pratiques usuelles, sinon elles risquent de susciter le rejet ou la neutralisation. Cet objectif a été atteint, car quelques participants ont exprimé, au cours de la rencontre bilan, deux mois plus tard, qu'une simple information écrite aurait suffi.

Afin d'arriver à des résultats significatifs et utilisables:
– des sujets précis de discussion seront fixés;
– il y aura reconnaissance de l'effort et de la participation à la fin de l'exercice;
– l'exercice sera fait dans une perspective d'investigation des solutions et non pas des problèmes;
– les propositions qui auront émergé des sous-groupes seront présentées à l'ensemble des membres et discutées de façon à produire un rapport synthèse valide et représentatif.

ACTIONS

Les membres du comité PDRH ont exprimé plusieurs préoccupations concernant l'animation des rencontres de travail. En effet, on souhaite arriver à des résultats (propositions):
– qui soient utilisables;
– qui fassent consensus au sein des équipes;
– qui soient valides (c'est-à-dire qui représentent l'apport de TOUS les employés).

Les séries I et II de réunions

La session débutait par la présentation de l'ordre du jour et la réponse aux préoccupations liées à cet ordre du jour. Chacun des cinq thèmes composant le contenu de l'ordre du jour était traité de la façon suivante: 15 minutes de discussion en atelier, 30 minutes d'échanges en plénière où chaque

EXPLICATIONS

Afin d'arriver à un consensus général: les sous-groupes formés seront composés d'individus qui se sont choisis librement mais tout en respectant une contrainte, c'est-à-dire la diversité dans les groupes (distribution égale des corps de profession).
Afin d'obtenir la participation de tous: les équipes seront divisées en sous-groupes (quatre à cinq personnes) pour la durée de l'exercice d'élaboration des propositions, ce qui donnera davantage l'occasion aux membres d'émettre leurs suggestions.

L'objectif de cette opération est de donner à tous les employés du CLSC la possibilité réelle d'influer sur les moyens d'action, que ce soit en termes de teneur ou de priorité, en fonction de ce qu'ils estiment le plus adéquat pour le CLSC ou leur propre unité de travail. Il ne faut jamais oublier que nous vivons dans une démocratie et ce, même dans un milieu organisationnel au fonctionnement hiérarchique. La participation à cet exercice a atteint le taux de 88 %, un record dans cette intervention.

L'équipe d'intervenants regroupait, thème par thème, toutes les catégories de commentaires pour les quatre groupes d'emplois placés côte à côte sur une même feuille. Ils mettaient également en exergue les propositions issues des différents groupes d'emplois.

EXPLICATIONS

Une analyse transversale de type solution -> causes -> problème -> conséquences, fut également produite pour chaque grande thématique, de sorte que le comité PDRH était assez bien outillé pour prendre en main et effectuer la dernière démarche stratégique.

L'habilitation (empowerment) continue sur le plan, cette fois, de la sélection et de la bonification des solutions.

ACTIONS

équipe faisait état de la production de son atelier. En plénière, une collaboratrice inscrivait immédiatement à l'ordinateur le contenu quasi verbatim des propositions pendant que l'animateur notait le sens général de l'intervention au tableau. La rencontre a duré 3 heures et 30 minutes.

Les discussions suivant les présentations sur chacun des thèmes étaient essentiellement orientées sur les convergences ou les divergences entre les différentes suggestions. Toutefois, il n'y avait pas lieu, à cette étape, d'effectuer le choix stratégique des suggestions à retenir, quoique les mérites respectifs des diverses solutions allaient être discutés.

Validation avec le comité PDRH

Après chaque série de rencontres (I et II):
Le comité PDRH établira pour une période précise les choix stratégiques, les coordinations requises, les actions communes et les actions particulières aux secteurs, l'échéancier d'implantation, les responsabilités d'implantation, les mécanismes de suivi et d'évaluation.

2.4 Troisième série: priorisation des solutions

Les membres du comité PDRH ont pris connaissance, analysé, discuté, débattu les solutions proposées par le personnel du CLSC pour en arriver après 15 heures de travail

ACTIONS

collectif à une liste de solutions, regroupées en catégories significatives en regard des obligations du PDRH. Les employés du CLSC sont conviés à déterminer le sort de chacune de ces solutions, à savoir si elle doit être maintenue telle quelle, si elle doit être modifiée et, le cas échéant, en quel sens, ou si elle doit être supprimée. Cette tâche est accomplie dans le cadre d'une session de travail regroupant les employés par groupes d'emplois.

Par la suite, toutes les propositions conservées, avec ou sans modification, devaient être priorisées. Cette dernière tâche était accomplie individuellement. La directive forçait la répartition des 27 solutions en 5 catégories de priorités: priorité maximum, 5 éléments; très prioritaire, 5 éléments; assez prioritaire, 5 éléments; pas tellement prioritaire, 5 éléments; pas du tout prioritaire, 7 éléments. Le consultant recueillait les formulaires et assurait la compilation des résultats par groupes d'emplois et pour l'ensemble du CLSC.

2.5 Formulation d'un plan détaillé d'action organisationnelle par le comité PDRH

Les membres du comité PDRH, saisis des résultats de la dernière consultation, se sont attelés à la tâche de concrétiser les souhaits du personnel de façon intégrée, efficace et opérationnelle. Pour ce faire, ils ont regroupé les objectifs spécifiques

EXPLICATIONS

Cette phase d'habilitation donnait à chaque employé la même probabilité d'influencer les décisions finales en regard du calendrier d'implantation.

Le calendrier serré et la diffusion du plan d'action concrétisent le sérieux de la démarche. Il est important d'orienter le regard du personnel vers la perception des résultats, non seulement de produire les résultats. Comme en droit, il faut non seulement obtenir

ACTIONS

en objectifs globaux administrativement cohérents, établi les activités concrètes qui permettront d'atteindre ces objectifs, fixé pour chacun une échéance dans un calendrier plutôt serré, et nommé un responsable de la conduite de l'activité. Cet exercice a résulté en un cahier de charges qui fut distribué à tous les employés. De plus, le comité PDRH s'était doté d'un sous-comité de vigie qui veillait à la bonne marche des opérations, quitte à effectuer des opérations de sauvetage si certaines opérations ne suivaient pas le calendrier prévu. Il en allait de la réputation du CLSC.

EXPLICATIONS

justice, mais également apparence de justice. Informer les employés, c'est les habiliter (empowerment), leur donner du pouvoir sur le suivi des activités à réaliser; c'est également, pour les membres du comité PDRH, un engagement public à accomplir leur mission. Du même coup, sur le plan organisationnel, le CLSC donnait à cette opération la facture d'un projet d'entreprise.

Le plan d'action qui suit illustre bien les actions concrètes véhiculant ce changement de climat de travail. Chacune des composantes déficientes du climat de travail est prise en charge par un ou plusieurs déterminants bien concrets et bien réels qui ont la propriété de réduire directement l'inconfort associé à chacune de ces composantes. Bien sûr, le plan d'action a été précédé d'une série d'opérations (relatées précédemment) dont les vertus sont de préparer les mentalités au changement, de confirmer la volonté politique de changement, d'habiliter (*empowerment*) les acteurs à influencer et orienter le changement et de responsabiliser le corps social à implanter et à supporter le changement.

Plan d'action
Dans le cadre du PDRH du CLSC Centre

Objectif global	Objectifs spécifiques	#[1]	#[2]	Activités	Échéancier	Responsable
Améliorer le climat de travail en valorisant la considération.	• Faire en sorte que toute personne en autorité adopte davantage un comportement de considération envers le personnel.	18	1,78	• Préparer les appels d'offres relatives à l'organisation de sessions de formation et/ou de travail pour le personnel d'encadrement du Centre, sessions portant sur l'objectif spécifique à atteindre.	30 avril	Directeur général
				• Choisir la meilleure offre.	31 mai	Directeur général
				• Tenir les sessions.	À compter de septembre	Directeur général
	• Faire en sorte que chaque membre du personnel adopte davantage un comportement de considération envers les autres.	16	2,11	• Préparer les appels d'offres…		Directeur général
				• Choisir la meilleure offre.		" "
				• Tenir les sessions.		" "
	• Faire en sorte que chaque membre d'une équipe adopte davantage un comportement de considération envers ses coéquipiers.	17	2,52	• Préparer les appels d'offres…		
				• Choisir la meilleure offre.		" "
				• Tenir les sessions.		" "
	• Faire en sorte que chaque chef d'administration de programme prenne connaissance des commentaires formulés à son égard au cours des sessions de consultation organisées dans le cadre du PDRH.	11	3,11	• Rencontre de chaque cadre du Centre avec le consultant ayant animé les sessions de consultation et le directeur général du Centre.	Avant le 31 mars	Directeur général

Plan d'action *(suite)*
Dans le cadre du PDRH du CLSC Centre

Objectif global	Objectifs spécifiques	#[1]	#[2]	Activités	Échéancier	Responsable
	• Faire en sorte que le Comité de régie interne se penche sur les actions à mener pour hausser la rétroaction/valorisation, le soutien et la promotion de l'initiative.	20	3,37	• Organiser pour le Comité de régie interne une ou des sessions de travail sur les sujets, et ce, avec un consultant externe.	30 avril	Directeur général
Améliorer la salubrité et la sécurité au travail.	• Régler les questions de santé et de sécurité au travail qui préoccupent présentement les employés.	15	1,93	• Organiser une session de travail à laquelle participeront les représentants syndicaux, le Comité de régie interne et les membres du Comité santé-sécurité au travail, afin de faire le point sur les dossiers de santé-sécurité au travail et d'établir les priorités d'action pour la prochaine année.	Février	Directeur des services administratifs
Améliorer l'organisation des services.	• Éliminer les zones grises dans l'attribution des cas entre les programmes.	10	2,0	• Créer un comité interprogrammes dont le mandat consiste à réviser les zones grises. Durée du mandat: 1 an. Composition: 3 chefs d'administration de programme et 1 intervenant par programme.	Première réunion tenue avant le 31 mars	Directeur général
	• Faire connaître les mandats et le fonctionnement des différents comités du Centre.	2	3,0	• Publier un document d'information sur le sujet (s'inspirant de la loi, du plan d'entreprise, etc.)	30 avril	Directeur général

Plan d'action (suite)
Dans le cadre du PDRH du CLSC Centre

Objectif global	Objectifs spécifiques	#[1]	#[2]	Activités	Échéancier	Responsable
	• Accueillir et intégrer les nouveaux/nouvelles employé(e)s selon les procédures déjà établies.	13	3,0	• Organiser une série de rencontres avec le personnel pour traiter du sujet. • Compléter la politique d'accueil des nouveaux/ nouvelles employé(e)s et la faire adopter. • Appliquer de façon systématique cette politique.	Automne Automne Dès son adoption	Directeur général Directeur des services administratifs Chefs d'administration de programme/service
	• Améliorer la planification annuelle de la programmation annuelle de chaque programme et service (priorités).	25	3,33	• Consacrer, dans chacun des services et programmes, une journée au mois de juin, à chaque année, pour faire le bilan de l'année écoulée (en regard des priorités déjà adoptées) et formuler les priorités pour l'année qui vient.	Juin	Chefs d'administration de programme/service
Maintenir et, le cas échéant, améliorer la qualité de la pratique professionnelle.	• Allouer à chacun des conseils un budget annuel pour la formation de ses membres (au prorata du nombre global de membres).	12	2,11	• Budgets adoptés au mois de mars de chaque année.	Mars	Comité de régie interne
	• Réactiver le Conseil multidisciplinaire.	11	2,40	• Convoquer les membres du Conseil multidisciplinaire afin qu'ils élisent le comité exécutif du Conseil multidisciplinaire (CM).	Première semaine d'avril	Directeur général

Plan d'action *(suite)*
Dans le cadre du PDRH du CLSC Centre

Objectif global	Objectifs spécifiques	#[1]	#[2]	Activités	Échéancier	Responsable
	• Confer au Conseil multi-disciplinaire le mandat d'étudier et de proposer des mesures pour assurer la supervision professionnelle de ses membres.	14	3,07	• Former un comité de perfectionnement et du maintien de la compétence du Conseil multidisciplinaire.	Printemps	Comité exécutif du Conseil multidisciplinaire
	• Confer aux trois conseils le mandat de publier un bulletin professionnel contenant uniquement des informations d'ordre professionnel.	3	3,11	• Création d'un groupe de travail dont les membres proviennent de chacun des trois conseils. • Publication du bulletin.	Juin Première parution avant fin novembre	Comités exécutifs de chacun des trois conseils
	• Créer, dans chacun des programmes, un mini centre de documentation.	4	3,37	• Chaque programme publie la liste des documents disponibles (au programme, à la Régie régionale) et crée un mini centre de documentation au sein du programme.	Liste publiée en septembre	Chefs d'administration de programme
Améliorer les communications organisationnelles.	• Installer un tableau au rez-de-chaussée du Centre, sur lequel seront affichées les activités.	7	2,78	• Installer un tableau d'affichage. • Afficher les informations.	Juillet À compter de juillet	Directeur des services administratifs Agente d'information

Plan d'action (suite)
Dans le cadre du PDRH du CLSC Centre

Objectif global	Objectifs spécifiques	#¹	#²	Activités	Échéancier	Responsable
	• Organiser les réunions générales du personnel (2-3 par année) de telle sorte qu'elles soient davantage interactives.	9	3,0	• Concevoir un nouveau mode de fonctionnement des réunions générales, après avoir consulté le personnel sur le sujet.	Prochaine réunion du personnel	Directeur général
	• Assurer le suivi des réunions générales du personnel.	9	3,0	• Assurer le suivi.	Entre chacune des réunions	Directeur général
	• Organiser les réunions de programme de telle sorte qu'elles soient davantage interactives, que du temps soit également alloué entre les différentes catégories de sujets traités (professionnels, organisationnels, etc.) et que le suivi soit assuré.	9	3,0	• Concevoir un nouveau mode… • Assurer le suivi.	Fin mars Entre chacune des réunions	Chef d'administration de programme
	• Développer «l'autoroute électronique», entre autres, pour permettre la transmission, d'un programme à l'autre, de messages quotidiens à être par la suite affichés à la réception du Centre.	6	3,22	• Faire une étude de faisabilité sur le sujet.	Automne	Directeur des services administratifs
Assurer le bon déroulement de la réalisation des objectifs contenus dans le PDRH.	• Transformer le Comité PDRH en comité permanent.	19	3,11	• Définir les mandats du comité, ses règles de fonctionnement, ses membres, etc.	Mai	Directeur général

Conclusion

Une étude du fonctionnement d'une organisation basée uniquement sur les propriétés physiques ou statistiques de cette dernière devient vite désuète si on ne considère pas la perception des employés à l'égard de leur organisation. Cette fusion des aspects objectifs (physiques, statistiques) et perceptuels (caractéristiques individuelles des membres) forme le climat humain d'une entreprise. C'est par la perception de leur climat de travail que les acteurs d'un système interprètent la réalité organisationnelle les entourant. Ainsi, la façon dont les membres d'une organisation voient leur environnement est beaucoup plus importante dans la détermination de leur comportement que ne l'est la réalité objective.

Le concept de climat comporte des caractéristiques spécifiques qui peuvent être considérées comme des postulats et dont le gestionnaire ou l'expert-conseil doit tenir compte dans ses analyses. Ces caractéristiques sont les suivantes:

a) Les attributs d'une organisation constituent les unités d'analyse.

b) Les perceptions ont des conséquences importantes sur le comportement des employés.

c) Le climat est un concept molaire et synthétique.

d) Il peut exister des microclimats à l'intérieur d'une organisation. Un groupe de travail particulier, un groupe occupationnel, un département fonctionnel et l'organisation en entier peuvent produire plusieurs climats différents. Cependant, il existe un certain partage des perceptions du climat entre les employés, peu importe le plan d'analyse utilisé.

e) Le climat est un élément stable dans le temps et il évolue très lentement. En effet, comme ce dernier est basé sur des variables relativement permanentes, telle par exemple, la structure organisationnelle, il s'avère que, pour le modifier, des changements assez importants doivent être fréquemment effectués dans les fondements mêmes de l'institution.

Le climat organisationnel est donc un concept global intégrant toutes les constituantes d'une entreprise. Ces constituantes ou dimensions se regroupent sous trois grandes catégories de variables que l'on nomme causales, constituantes et modératrices. Le climat, c'est aussi la personnalité d'une organisation et cette dernière peut être saine ou malsaine et, par conséquent, affecter le fonctionnement de ses membres. Tout comme la personnalité, on ne peut se faire une idée exacte du climat d'une institution simplement à partir de l'une de ses dimensions: c'est la somme de toutes les composantes qui est représentative. Enfin, ses éléments composites peuvent varier, quoique le climat puisse demeurer le même.

Sans vouloir attribuer au climat seul l'ensemble des maux qui affectent une organisation, il n'en demeure pas moins que l'étude et la description de l'environnement de travail devraient être préliminaires à toute forme d'intervention. En effet, le gestionnaire ou l'expert-conseil devrait savoir à qui il s'adresse avant de tenter une action, d'implanter ou de modifier une politique quelconque, et ce, pour deux raisons:

– Il doit repérer clairement les dimensions qui sont problématiques et qui vont nécessiter des changements;
– Il doit s'assurer que ses interventions ne toucheront pas ou ne modifieront pas des dimensions du climat bien perçues par les membres de l'organisation, ou encore qu'elles ne risqueront pas de dégrader encore davantage des dimensions mal perçues par les employés.

Cependant, il est possible pour un gestionnaire ou un expert-conseil de modifier le climat d'une organisation. À cet effet, il devra prendre en considération les facteurs suivants:

– Évaluer et analyser les perceptions des membres de l'organisation concernant leur environnement de travail;
– Analyser les facteurs qui agissent positivement ou négativement sur les dimensions du climat;
– Déterminer les dimensions sur lesquelles une intervention peut être possible;
– Obtenir la collaboration non seulement des employés touchés par le changement mais aussi de toute l'équipe de direction.

La modification du climat d'une entreprise est une tâche qui exige du temps et la collaboration de tous les acteurs du système. En effet, il n'est pas rare de voir apparaître de la résistance au changement chez les employés lorsqu'on essaie de modifier le climat trop rapidement sans mettre en place une structure qui viendra renforcer et soutenir les actions des membres de l'organisation. Les employés doivent changer leurs perceptions du climat en même temps que les remaniements sont effectués dans les diverses dimensions problématiques.

Finalement, les effets du climat organisationnel sont nombreux. Ainsi, la façon dont un individu perçoit le climat qui l'entoure peut affecter sa satisfaction au travail, son rendement, son apprentissage, et peut même engendrer chez lui des actes antisociaux. L'identification du climat organisationnel est donc un aspect important servant à comprendre les comportements des individus dans une organisation. Il peut être mesuré et ses effets vérifiés.

À la suite de changements de valeurs de travail chez les employés ainsi que des modifications profondes que les entreprises sont appelées à subir dans leurs fondements mêmes, à cause de problèmes économiques, de changements de politiques ou dans le cadre même de la mondialisation des marchés, il est à prévoir que la compréhension et l'analyse du climat organisationnel constitueront des facteurs importants de la croissance et de l'évolution d'une organisation.

Références

AL-SHAMMARI (1992). Organizational Climate. *Leadership and Organization Development Journal*, 13, 6, 30-32.

ALLAIRE, Y. et FIRSIROTU, M. (1984). Theories of Organizational Culture. *Organization Studies*, 5, 3, 193-226.

ALLEN, R.F. et SILVERZWEIG, D. (1976). Group Norms: their Influence on Training Effectiveness, *in* R.L. Craig (Ed.). *Training and Development Handbook* (p. 17, 1-17). New York: McGraw-Hill.

ANDERSEN, D. P. (1964*). Organizational Climate of Elementary Schools*. Minneapolis, Minnesota: Educational Research and Development Council of the Twin Cities Metropolitan Area.

ANDERSON, C.S. (1982). The Search for School Climate: A review of research. *Review of Educational Research*, 52, 368-420.

ARCHAMBAULT, J., BRUNET, L. et GOUPIL, G. (1984). *Directions d'école et enseignants face au stress: le rôle du climat organisationnel dans l'anxiété.* Université de Montréal: Faculté des sciences de l'éducation (monographie RR.021).

BALDWIN, J.T. et FORD, J.K. (1988). Transfer of Training: A Review and Directions for Future Research. *Personnel Psychology*, 41, 63-105.

BANH, C. (1973). The Counter Training problem. *Personnel Journal*, 52, 1068-1073.

BAREIL, C. (1998). Une nouvelle compréhension du vécu des acteurs en transition, *in* A. Rondeau (Éd.). *Changement organisationnel* (tome 1; p. 59-68). Québec: Presses Inter Universitaires.

BARLING, J., WADE, B. et FULLAGAR, C. (1990). Predicting Employee Commitment to Company and Union: Divergent models. *Journal of Occupational Psychology*, 63, 49-61.

BARNABÉ, C. (1995). *Introduction à la qualité totale en éducation.* Montréal: Les Éditions Transcontinental inc.

BATE, P. (1984). The Impact of Organizational Culture on Approaches to Organizational Problem-solving. *Organization Studies*, 5, 1, p. 43-66.

BECKER, H.S. (1960). Notes on the Concept of Commitment. *American Journal of Sociology*, 66, 1, 32-40.

BÉLANGER, L. (1977). *Gestion des ressources humaines.* Chicoutimi, Gaétan Morin, éditeur.

BERGERON, J.-L., CÔTÉ-LÉGER, N., JACQUES, J. et BÉLANGER, L. (1979). *Les aspects humains de l'organisation.* Chicoutimi: Gaétan Morin Éditeur.

BERGERON, P.G. (1986). *La gestion dynamique: concepts, méthodes et application.* Chicoutimi: Gaétan Morin Éditeur.

BERTRAND, Y. et GUILLEMET, P. (1989). *Les organisations. Une approche systémique.* Québec: Télé-université.

BLEICHER, J. (1987). *Contemporary Hermeneutics.* Boston: M.A.: Routledge, Kegan Paul.

BOJE, D.M., FREDOR, D.B. et ROWLAND, K.M. (1982). Myth Making a Quantitative step in OD Interventions. *The Journal of Applied Behavioral Science,* 18, 1, 17-28.

BOWERS, D. G. et TAYLOR, J. C. (1970). *Survey of Organizations.* Michigan: Institute for Social Research, The University of Michigan.

BOWERS, D.G. (1977). Systems of Organization: Management of the Human Ressource. Ann Arbor. The University of Michigan Press.

BRASSARD, A. (1996). *Conception des organisations et de la gestion.* Montréal: Éditions nouvelles.

BRITTON, H. (1981). The serious threat of white collar crime. What can you do. *Vital speeches of the day,* 62, 16, 485-489.

BRUNET, L. (1981). *Évaluation d'un cours de perfectionnement: le rôle du climat organisationnel et du renforcement dans le transfert de l'apprentissage.* Thèse de doctorat en psychologie, Université de Montréal.

BRUNET, L. (1983). *Le climat de travail dans les organisations: définition, diagnostic et conséquences.* Montréal: Agence d'ARC.

BRUNET, L. (1987). Le climat organisationnel et le milieu scolaire. *In* C. Barnabé et H. Girard (Éd.). *Administration scolaire: théorie et pratique* (p. 239-252). Chicoutimi: Gaétan Morin Éditeur.

BRUNET, L., BRASSARD, A. et CORRIVEAU, L. (1991). *Administration scolaire et efficacité dans les organisations.* Montréal: Agence d'ARC.

BURNS, T. et STALKER, G.M. (1961). *The Management of Innovation.* London: Tavistock.

BURTON, P. J. (1983). Theft in the Lumber Industry. *Security Management,* 27, 8, 65-67.

CHAGNON, Y. et SAVOIE, A. (1987). Vers une validation empirique des composantes de la culture organisationnelle, *in* A. Larocques *et al.* (Éd.). *Psychologie du travail et nouveaux milieux de travail* (p. 699-707). Montréal: Presses Universitaires du Québec.

CORRIVEAU, L. (1990). *Effet du climat organisationnel et du style de gestion de la direction sur l'efficacité de polyvalentes au Québec.* Thèse de doctorat. Faculté des sciences de l'éducation. Université de Montréal.

CRANE, J. D. (1981). The Measurement of Organizational Climate of Schools. Chicago: University of Chicago.

CROZIER, M. et FRIEDBERG, E. (1977). *L'Acteur et le Système.* Paris. Éditions du Seuil.

CULLEN, J.B., VICTOR, B. ET BRONSON, J.W. (1993). *The Ethical Climate Questionnaire: An Assessment of its Development and Validity.* Psychological Reports, 73, 2, 667-674.

D'ANDREA, M. *et al.* (1991). Multicultural Awareness Knowledge Skill Survey. *Journal of Counseling and Development*, 70, 1, 143-150.

DALTON, M. (1959). *Man who Manage*. New York: John Wiley and Sons.

DE COTIIS, T. et LE LOUARN, J.-Y. (1981). A Predictive Study of Voting Behavior in a Representation Election using Union Instrumentality and Work Perceptions. *Organizational behavior and human performance*, 27, 103-118.

DEAL, J.E. et KENNEDY, A.A. (1982). *Corporate Cultures: The Rites and Ritual corporate life*. MA: Addison-Wesley.

DOAK, E.D. (1970). Organizational Climate: Prelude to Change. *Educational Leadership*, 27, 367-371.

DOCKER, J.G. (1989). Differences in the Psychosocial Work Environment of Different Types of Schools. *Journal of Research in Childhood Education*, 4, 1, 5-17.

DOW, I.I. (1983). The Effect of School Management Patterns on Organizational Effectiveness. *The Alberta Journal of Educational Research*, 29, 1, 30-38.

DREXLER, J. A. (1977). Organizational Climate: its Homogeneity within Organizations. *Journal of Applied Psychology*, 62, 1, 38-42.

EKVALL, G. (1987). The Climate Metaphor in Organization Theory. *In* B. Bars et P. Drenth (Éd.). *Advances in organizational psychology. An International Review* (p. 177-190). Newsbury Park: Sage.

FITZGERALD, L.-F. et SHULLMAN, A. (1993). Sexual Harassment: a Research Analysis and Agenda for the 1990's. *Journal of Vocational Behavior*, 42, 5-27.

FLEISHMAN, E. (1953). Leadership Climate, Human Relations Training and Supervisory. *Personnel Psychology*, 6, 205-222.

FOREHAND, G. et GILMER, B. (1964). Environmental Variation in Studies of Organizational Behavior. *Psychological Bulletin*, 62, 361-382.

FOURGOUS, J.-M. et ITURRALDE, B. (1991). *Mesurer et améliorer le climat social de l'entreprise*. Paris: Éditions d'organisation.

FREDERIKSEN, N. (1966). *Some Effects of Organizational Climates on Administrative Performance*. Princetown: Educational testing service.

FRIEDLANDER, F. et MARGULIES, N. (1969). Multiple Impacts of Organizational Climate and Individual Value System upon Job Satisfaction. *Personnel Psychology*, 22, 171-183.

FROST, C.F., WAKELEY, J.H. et RUTH, R.A. (1974). *The Scalon Plan for Organizational Development. Identity, Participation and Equity*. Michigan: Michigan State University Press.

GAUTHIER, F. (1998). *Évaluation du transfert des acquis dans un programme de perfectionnement en relation avec les caractéristiques personnelles et organisationnelles*. Thèse de doctorat inédite. Faculté des sciences de l'éducation, Université de Montréal.

GAVIN, J.F. (1975). Organizational Climate as a Function of Personal and Organizational Variables. *Journal of Applied Psychology*, 60, 135-139.

GEER, B. et SULZER, A. (1995). Quality Circles: the Effects of Varying Degrees of Voluntary Participation on Employee Attitudes and Program Efficacy. *Educational and Psychological Measurement*, 55, 1, 124-134.

GEERTZ, C. (1973). *The interpretation of cultures.* New York: Basic Books.

GELLERMAN, S.W. (1960). *People, Problems and Profits.* New York. McGraw-Hill.

GIACALONE, R.A. et GREENBERG, J. (1996). *Antisocial-behavior in Organizations.* Thousand Oaks: Sage Publications.

GIBSON, W.K. (1974). *The Achievement of Sixth Grade Students in a Midwestern City.* Unpublished doctoral dissertation. University of Michigan.

GILBERT, P. et THIÉBAUD, M. (1998). Paradoxes, instrumentation et changement en gestion des ressources humaines. *Revue Gestion 2000*, 3, mai-juin, 121-137.

GILMORE, R.L. (1979). *Machiavellian Influence on School Climate: a Study of High School Principal's Machiavellian Characteristics as they relate to.* Thèse de doctorat en éducation. Université de Brigham Young.

GLASSER, W. (1969). *Schools without Failure.* New York: Harper and Row Publishers.

GOENS, G.A. et KUCIEJCZYK, J. (1981). The Nature of Stress, Supervisors. Do they Induce or Reduce Teacher Stress? *NASSP Bulletin*, 24-27.

GOLDSTEIN, I.L. (1974). *Training: Program Development and Evaluation.* Monterey, Brooks.

GOLDSTEIN, I.L. (1991). Training in Work Organizations, *in* M.D. Dunnette et L.M. Hough (Éd.). *Handbook of Industrial and Organizational Psychology* (p. 507-621). California: Consulting Psychologist Press Inc.

GOLEMBIEWSKI, R.T. (1970). Organizational Properties and Managerial Training: Testing Alternative Models of Attitude Change. *Academy of Management Journal*, 13, 13-34.

GOULDNER, A.W. (1955). *Patterns of Industrial Bureaucracy. A Case Study of Modern Factory Administration.* London: Routledge and Paul.

GREENBLATT, R.B., COOPER, B.S., MUTH, R. (1984). Managing for Effective Teaching. *Educational Leadership*, février, 57-59.

GREGORY, K.L. (1983). Native-view Paradigms: Multiple Cultures and Culture Conflicts in Organizations. *Administrative Science Quarterly*, 28, 3.

GUILHAUMON, C. H. (1986). Les entreprises canadiennes se sont fait frauder d'un milliard de dollars en 1985. *Journal Les Affaires*, 1er novembre, 8-9.

GUION, R.M. (1973). A note on Organizational Climate. *Organizational behavior and Human Performance*, 9, 120-125.

HACKMAN, J.R. et OLDHAM, G.R. (1974). Development of the Job Diagnostic Survey. *Journal of Applied Psychology*, 60, 159-170.

HACKMAN, J.R. et OLDHAM, G.R. (1976). Motivation through the Design of Work: A test of a Theory. *Organizatioanl Behavior and Human Performance*, 16, 250-279.

HALPIN, A.W. et CROFTS, D.B. (1963). *The Organizational Climate of Schools*. Chicago. University of Chicago.

HARRIS, P. R. (1981). The Seven Uses of Synergy. *Journal of Business Strategy*, 2, 2, 59-66.

HARRIS, P. R. (1981). The Seven Uses of Synergy. *Journal of Business Strategy*, 2, 1, 15-26.

HELLRIEGEL, D. et SLOCUM, J. (1974). Organizational Climate: Measures, Research and Contingencies. *Academy of Management Journal*, 17, 255-280.

HERCUS, T. (1970). Supervisory Training: Developping a Management Climate that Reinforces the Learning Process. *The Canadian Personnel*, 17, 1, 45-47.

HERSI, T. (1993). Factors Contributing to Job Satisfaction for Women in Higher Education Administration. *CUPA Journal*, 44, 2, 29-15.

HICKLING, J. (1985). Computer Crime and the Law. *Canadian Security*, mars-avril, 20-23.

HOUSE, R. J. (1972). T-group Education and Leadership Effectiveness: A Review of the Empiric Litterature and a Critical Evaluation. *Personnel Psychology*, 20, 1-32

HOY, W.K. et MISKEL, C.G. (1996). *Educational Administration: Theory, Research and Practice*. New York: McGraw-Hill.

IVANCEVICH, J.M., SZILAGYI, A.D. et WALLACE, M.J. (1977). *Organizational Behavior and Performance*. California. Goodyear Publishing.

JACKOFSKY, E.F. et SLOCUM, J.W., Jr (1988). A Longitudinal Study of Climates. *Journal of Organizational Behavior*, 9, 319-334.

JACOB, R. (1979). Travail et stress: l'urgence d'agir. *Les cahiers du psychologue québécois*, 2, 2, 32-38.

JAMES, L.R. et JONES, A.P. (1974). Organizational Climate: a Review of Theory and Research. *Psychological Bulletin*, 81, 1096-1112.

JAMES, L.R. et JONES, A.P. (1976). Organizational Structure: a Review of Structural Dimensions and their Conceptual Relationships with Individual Attitudes and Behavior. *Organizational Behavior and Human Performance*, 16, 74-113.

JAMES, L.R., JOYCE, W.F. et SLOCUM, J.W. (1988). Comment: Organizations do not Cognize. *Academy of Management Review*, 13, 129-162.

JOHANNESSON, R.E. (1973). Some Problems in the Measurement of Organizational Climate. *Organizational Behavior and Human Performance*, 10, 118-144.

JONES, J.W. et TERRIS, W. (1991). *The Organizational Climate of honesty*. New York: Quarum Books.

JORDE-BLOOM. J (1988). Closing the Gap: an Analysis of Teacher and Administrator Perceptions of Organizational Climate in early Childhood Setting. *Teaching and Teacher Education*, 4, 2, 11-120.

JOYCE, F. et SLOCUM, J. (1979). *Climates in Organizations. In* S. Kerr (éd.). *Organizational Behavior* (p. 317-333). Colombus, OH: Grid.

KALIS, M.C. (1980). Teaching Experience: its Effect on School Climate, Teacher Morale. *NASSP Bulletin*, 64, 435, 89-102.

KAMP, J. et BROOKS, P. (1991). Perceived Organizational Climate and Employee Counterproductivity. *Journal of Business and Psychology*, 5, 4, 447-458.

KAMPTIZ, S.D. et WILLIAMS, M. (1983). Organizational Climate: a Measure of Faculty and Nurse Administrator Perception. *Journal of Nursing Education.* 22, 5, 200-206.

KANDAN. E. (1985). Perception of Organizational Climate and Need Satisfaction among Bank Officers. *Canadian Psychological Review*, 29, 1-5.

KASKELL, D.L. (1981). Battling the White Collar Crime Wave. *Modern Office Procedures*, 26, 5, 66-75.

KATZ, D. et KAHN, R.L. (1978). *The Social Psychology of Organizations.* John Wiley & Sons.

KELLEY, C., MEYERS, J.E. (1992). *Cross-Cultural Adaptability Inventory.* Yarmouth, ME: Intercultural Press.

KENNISH, J.N. (1985). Prevention Starts from the Top. *Security Management*, 60-64.

KETS de VRIES, M.F.R. et MILLER, D. (1984). *Organizational Neurosis.* New York: McGraw-Hill.

KOFF, R. H., LAFFLEY, J. M., OLSON, G. E. et CHICON, D. J. (1981). Coping with Conflict. Executive Stress and the School Administrator. *NASSP Bulletin*, Dec., 1-9.

KOHLBERG, L. (1969). The Cognitive-developmental Approach to Socialization, *in* D.A. (Éd.). *Handbook of socialization theory and research.* Chicago: Rand McNally.

KURKE, M.I. (1991). Dishonesty, Corruption and White-collar Crime: Predicting Honesty and Integrity in the Workplace. Special Issue. *Integrity Testing.* Foresing Reports, 4, 2, 149-162.

LAFLAMME, R. (1994). *La vie dans les organisations: des indicateurs de succès.* Québec: Presses de l'Université du Québec.

LaFOLLETTE, W.R. et SIMS, H.P. (1975). Is Satisfaction Redundant with Climate? *Organizational Behavior and Human Performance*, 13, 257-278.

LAROUCHE, V. (1984). *Formation et perfectionnement en milieu organisationnel.* Montréal: Collection universitaire.

LAROUCHE, V. et DELORME, F. (1972). Satisfaction au travail: Reformulation théorique. *Relations industrielles*, 27, 4, 567-599.

LATHAM, G.P. YUKL, G.A. (1975). A Review of Research on the Application of Goal setting in Organizations. *Academy of Management Journal*, 18, 824-845.

LAWLER, E.E. (1986). *High-involvement Management*. California: Jossey-Bass.

LAWLER, E.E. et JENKINS, G.D. (1992). Strategic Reward Systems *in* D. Dunnette et L. Hough (Éd.). *Handbook of Industrial and Organizational Psychology*, (p. 1009-10055). California: Consulting Psychologist Press Inc.

LAWLER, E.E., HALL, D.T. et OLDHAM, G.R. (1974). Organizational Climate Relations to Organizational Structure, Process and Performance. *Organizational Behavior and Human Performance*, 11, 139-155.

LAWRENCE, J.R. (1979). Correlates of Psychological Influence: an Illustration of the Psychological Climate Approach to Work Environment Perceptions. *Personnel Psychology*, 32, 3, 563-588.

LEE, S.M. et DEAN, C. (1971). University Management Training Programs: an Empiric Evaluation. *Training and Development Journal*, 25, 32-37.

LEFKOWITZ, J. (1972). Evaluation of a Supervisory Training Program for Police Sergeants. *Personnel Psychology*, 25, 1, 95-106.

LEMAÎTRE, N. (1985). La culture d'entreprise, facteur de performance. *Gestion*, février, 19-25.

LESAGE, P.B. et RICE-LESAGE, J.A. (1986). Deux traits de personnalité et leur influence sur la difficulté d'être le supérieur idéal. *Revue québécoise de psychologie*, 7, 1-2, 84-110.

LEWIN, K. (1951). *Field Theory in Social Science*. New York. Harper and Bros.

LIKERT, R. (1961). *New Patterns of Management*. New York: McGraw-Hill.

LIKERT, R. (1967). *The Human Organization*. New York, McGraw-Hill.

LIKERT, R. (1972). *The Likert Profile of a School: New Survey instruments for public Schools to improve organizational effectiveness. Manuel for questionnaire use*. Michigan: I.S.R.

LIKERT, R. (1974). *Le gouvernement participatif de l'entreprise*. Paris: Collection Hommes et Organisations.

LIPPITT, R. (1981). A Supportive Organizational Climate for Action Research. *Personnel and Guidance Journal*, 5959, 8, 515-517.

LITWIN, G. et STRINGER, R. (1968). *Motivation and Organizational Climate*. Boston Harvard Business School.

LOCKE, E. (1968). Toward a Theory of Task, Motivation and Incentives. *Organizational Behavior and Human Performance*, 3, 157-189.

LORRAIN, J. et BRUNET, L. (1984). La relation entre le climat organisationnel, la satisfaction au travail et la perception du syndicalisme. *Revue Relations industrielles*, 39, 4, 668-680.

LUSHER, B. (1990). Improving Working Relationships: Group Effectiveness Training. *Journal of European Industrial Training*, 14, 5, 4-20.

LUTHANS, F. et MARTINKO, M. (1987). Behavioral Approaches to Organizations, in C.L. Cooper et I.T. Robertson (Éd.). *International Review of Industrial and Organizational Psychology.* (p. 35-60). New York: Wiley.

LYON, H.L. et IVANCEVICH, J.M. (1974). An Exploratory Investigation of Organizational Climate and Job Satisfaction in a Hospital. *Academy of Management Journal,* 17, 635-648.

MADAUS, G.F., KELLAGHAN, T., RAKOW, E.A. et KING, D.J. (1979). The Sensitivity of Measures of School Effectiveness. *Harvard Educational Review.* 49, 2, 207-230.

MAIER, N.R.F. (1970). *La psychologie dans l'industrie.* Verviers: Marabout Service, tome 1.

MAILLET, L. (1993). *Psychologie et Organisation: l'individu dans son milieu de travail.* Montréal: Agence d'ARC.

MARSHALL, J. (1982). Organizational Culture: Elements in its Portraiture and some Implications for Organization Functioning. *Group and Organization Studies,* 7, 3, 367-3-4.

MARTIN, J. et SIEHL, C. (1983). Organizational Culture and Counterculture: An Uneasy Symbiosis. *Organizational Dynamics,* 12, 2, 52-64.

MARTIN, S. (1988). *Étude de la confiance interpersonnelle et de l'internalité comme prédicteurs du succès de cadre québécois.* Mémoire de maîtrise inédit, Département de psychologie, Université de Montréal.

McCORMICK, L., STECKLER, A.B. et McLEROY, K.R. (1995). Diffusion of Innovations in Schools: A study of Adoption and Implementation of School-based Tobacco Prevention Curricula. *American Journal of Health Promotion,* 9, 3, 210-219.

McNEELY, R.L. (1983). Organizational Patterns, Work and Burnout in the Public School. *Urban Education,* 18, 82-97.

MENTZ, K. et WESTHUZEN, P. van der. (1993). *Organizational Climate in schools in White communities in South Africa: a Validation of the OCDQ-RS* – 26 p. Paper presented at the Annual Meeting of American Education Research Association (Atlanta, G.A., April 12-16, 1993).

MEYER, J.P. et ALLEN, N.J. (1989). Organizational Commitment and Job Performance: It's nature of Commitment that Counts. *Journal of Applied Psychology,* 74, 1, 152-156.

MICHELA, J.L., LUKASZEWSKI, M.P. et ALLEGRANTE, J.P. (1995). Organizational Climate and Work stress: A General Framework Applied to Inner-city School Teachers. *In* S.L. Sauter et L.R. Murphy (Eds). *Organizational Risk Factors for job stress* (p. 61-80). Washington: American Psychological Association.

MINTZBERG, H. (1982). *Structure et Dynamique des organisations.* Montréal: Agence d'ARC.

MISKEL, C.G. et OGAWA, R. (1988). Work Motivation, Job Satisfaction, and Climate. *In* N.J. Boyan (Éd.), *Handbook of Research on Educational Administration* (p. 279-304). New York: Longman.

MOHRMAN, A.M., RESNICK-WEST, S.M. et LAWLER, E. (1989). *Designing Performance Appraisal Systems: Aligning Appraisals and Organizational Realities.* San Francisco: Jossey-Bass.

MOHRMAN, A.M. (1986). *Multiple Purposes in Appraisal Events.* Présentation à la Society for Industrial Organizational Psychology, Chicago.

MOOS, R. H. et INSEL, P. M. (1974). *The work Environment Scale.* Palo Alto, California: Consulting Psychologists Press Inc.

MOOS, R.H. (1979). *Evaluating Educational Environments.* Palo Alto: Consulting Psychologist Press.

MORIN, E. (1996). *Psychologies au travail.* Chicoutimi: Gaétan Morin Éditeur.

MORIN, E., SAVOIE, A. et BEAUDIN, G. (1994). *L'Efficacité de l'organisation: théories, représentations et mesures.* Montréal: Gaétan Morin Éditeur.

MOUKVA, M. (1995). A Structure to Foster Creativity: an Industrial Experience. *Journal of Creative Behavior,* 29, 1, 54-63.

MOXNES, P. et EILERTSEN, D.-E. (1991). The Influence of Management Training upon Organizational Climate: an Exploratory Study. *Journal of Organizational Behavior,* 12, 5, 399-411.

MURPHY, J.R. (1972). Is it Skinner or Nothing? *Training and Development Journal,* 26, 2-8.

MURPHY, K.K. et CLEVELAND, J.N. (1991). *Performance Appraisal: an Organizational Perspective.* Toronto: Allyn & Bacon.

NAYLOR, J.C., PRITCHARD, R.C. et ILGEN, D.R. (1980). *A Theory of Behavior in Organizations.* New York: Academic Press.

NEUMANN, Y. (1980). Organizational Climate and Faculty Attitudes toward Collective Bargaining. A University in a major Labor Dispute. *Research in Higher Education,* 13, 4, 353-375.

OGILVIE, D. et SADLER, D. (1979). Perceptions of School Effectiveness and its Relationship to Organizational Climate. *Journal of Educational Administration,* 2, 139-147.

OTT, J. S. (1989). *The Organizational Culture Perspective.* Pacific Grove, CA.: Brooks/Cole.

OWENS, R. G. (1970). *Organizational Behavior in Schools:* New Jersey: Prentice-Hall.

PAYNE, R.L. et MANSFIELD, R. (1973). Relationships of Perceptions of Organizational Climate to Organizational Structure, Context, and Hierarchical Position. *Administrative Sciences Quarterly,* 18, 515-526.

PAYNE, R.L. et PUGH, D.S. (1976). Organizational Structure and Climate, *in* M.D. Dunnette (Éd.). *Handbook of Industrial and Organizational Psychology* (p. 1125-1175). Chicago: Rand McNally.

PETTERSEN, N. (1985). Un nouvel instrument de mesure du lieu de contrôle interne-externe spécifique à la situation de travail. *Revue québécoise de Psychologie*, 6, 2, 28-41.

PETTIGREW, A.M. (1979). On Studying Organizational Cultures. *Administrative Science Quarterly*, 24, 570-581.

PHI DELTA KAPPAN. (1980). *Why do some Urban Schools Succeed?* Blomington: Phi Delta Kappan.

PORRAS, J.I. et ROBERTSON, P.J. (1992). Organizational Development: Theory, Practice and Research, *in* M.D. Dunnette et L.M. Hough (Éd.). *Handbook of Industrial and Organizational Psychology* (p. 719-822). California: Consulting Psychologist Press Inc.

PORTER, L.W., STEERS, R.M., MOWDAY, R.T.et BOULINA, P.V. (1974). Organizational Commitment, Job Satisfaction and Turnover among Psychiatric Technicians. *Journal of Applied Psychology*, 59, 603-604.

POULAKOS, J. (1974). The Components of Dialog. *Western Journal of Speech*, 199-221.

PRITCHARD, R.P. et KARASICK, B.W. (1973). The Effects of Organizational Climate on Managerial Job Performance and Job Satisfaction. *Organizational Behavior and Human Performance*, 9, 126-146.

PUTTI, J.M. et KHEUN, L.S. (1986). Organizational Climate-job Satisfaction Relationship in a Public Sector organization. *International Journal of Public Administration*, 8, 3, 337-344.

QUINN, R. E. et Mc GRATH, M. R. (1982). Moving beyond the Single-Solution Perspective: The Competing Values Approach as a Diagnostic Tool. *The Journal of Applied Behavioral Science*, 18, 4, 463-472.

RAUDSEPP, E. (1987). *Managing Creative Scientists and Engineers*. New York: McMillan.

RAYWORTH, J.F. (1993). Total Quality Management Involving staff in the Search for Perfection. *Health Manpower Management*, 19, 1, 25-29.

REBORE, R.W. (1998). *Personnel Administration in Education: a Management Approach*. Toronto: Allyn & Bacon.

REICHERS, A.E. et SCHNEIDER, B. (1990). Climate and Culture: An Evolution of Constructs, *in* B. Schneider (Éd.). *Organizational Climate and Culture* (p. 5-40) San Francisco: Jossey-Blass Publishers.

RICHER, J. (1985). Piquer au travail c'est voler. *Revue Justice*, 3, 4, 10-14.

ROCK, Y. (1986). *Le vol et le vandalisme perpétrés par les employés dans l'organisation*. Université de Montréal, Faculté des sciences de l'éducation (Séminaire inédit de lecture).

ROUILLER, J.Z. et GOLDSTEIN. L.L. (1993). The Relationship Between Organizational Transfer Climate and Positive Transfer of Training. *Human Ressource Development Quarterly*, 4, 4, 377-389.

ROUSSEAU, D.M. (1988). The Construction of Climate in Organizational Research. *International Review of Industrial and Organizational Psychology*, 139-159.

ROY, F. (1984). *Élaboration et validation d'un questionnaire sur le climat de travail*. Université de Montréal: Mémoire de Maîtrise en psychologie.

ROY, F. (1994). Élaboration et validation d'un questionnaire sur le climat de travail, *in* R. Patesson (Éd.). *La psychologie du travail et les changements technologiques, économiques et sociaux* (p. 560-562). Belgique: SISH-ULB.

SAINSAULIEU, R. (1974). L'effet de la formation sur l'entreprise. *Esprit*, octobre, 1-12.

SALANCIK, G.R. et PFEFFER, J. (1977). An Examination of Need-satisfaction Models of Job Attitudes. *Administrative Science Quarterly*, 22, 427-456.

SATHE, V. (1983). Implications of Corporate Culture: A Managers guide to action. *Organizational Dynamics*, 12, 2, 5-23.

SAUTER, S.L. et MURPHY, L.R. (1996). *Organizational Risk Factors for Job Stress*. Washington: American Psychological Association.

SAVOIE, A. (1987). *Le perfectionnement des ressources humaines en organisation*. Montréal: Agence d'ARC.

SAVOIE, A. (1992). Facteurs déterminant l'engagement envers l'organisation chez le personnel d'encadrement, *in* C. Lemoine (Éd.). *Évolution et innovation dans les organisations* (p. 361-368). Paris: EAP.

SAVOIE, A. et FORGET, A. (1983). *Le stress au travail: mesures et prévention*. Montréal: Agence d'ARC.

SAVOIE, A. et MARTIN, S. (1994). Les facteurs de l'engagement envers l'organisation chez le personnel d'encadrement d'une grande entreprise de service. *In* R. Patesson *La psychologie du travail et les changements technologiques, économiques et sociaux*. Nivelles, Belgique: SISH-ULB.

SCHALL, M. S. (1983). A Communication-rules Approach to Organizational Culture. *Administrative Science Quarterly*, 28, 557-581.

SCHEIN, E.H. et BENNIS, W.G. (1965). *Personal and Organizational Change through Group Methods: the laboratory approach*. New York: Wiley.

SCHEIN, E.H. (1983). The Role of Founder in Creating Organizational Culture. *Organizational Dynamics*, 12, 1, 13-28.

SCHEIN, E.H. (1985). *Organizational Culture and Leadership*. Jossey-Bass.

SCHNAKE, M.E. (1983). An Empirical Assessment of the Effects of Affective Response in Measurement of Organizational Climate. *Personnel Psychology*, 36, 791-807.

SCHNEIDER, B. (1975). Organizational Climates: An Essay. *Personnel Psychology*, 28, 447-479.

SCHNEIDER, B. (1990). *Oganizational Climate and Culture*. San Francisco: Jossey-Bass Publishers.

SCHNEIDER, B. et BARTLETT, C.J. (1968). Individual Differences and Organizational Climate: 1. The Research Plan and Questionnaire Development. *Personnel Psychology*, 21, 323-332.

SEIKIOU., BLONDIN, L., FABI, B., CHEVALIER, F. et BESSEYRE Des HORTS. C. H. (1992). *Gestion des ressources humaines*. Montréal: Les Éditions 4L inc.

SELLS, S.B. et JAMES, L.R. (1988). *Organizational Climate, in* J.R. Nessebroade et R.B. Cattel (Éd.). *Handbook of Multivariate Experimental Psychology*, 915-937.

SINCLAIR, R.L. (1970). Elementary School Educational Environments: toward Schools that are responsive to Students. *National Elementary Principal*, 49, 5, 53-58.

SPECTOR, P.E. (1978). Organizational Frustration: A Model and Review of Litterature. *Personnel Psychology*, 31, 4, 815-829.

ST-PIERRE, M-L. (1986). *Équivalence linguistique et qualités psychométriques; la traduction française de l'instrument Organizational Commitment Questionnaire (OCQ)*. Mémoire de maîtrise inédit. Université de Montréal. Département de psychologie.

STEELE, F.I., ZAND, D.E. et ZALKIND, S.A. (1970). Managerial Behavior and Participation in a Laboratory Training Process. *Personnel Psychology*, 23, 77-90.

STEERS, R.M. (1977). *Organizational Effectiveness: a Behavioral View*. California: Goodyear Publishing.

STEWART, D. (1979). A Critique of School Climate: what it is, how it can be improved and some general recommandations. *The Journal of Educational Administration*, XVII, 2, 148-159.

TAGUIRI, R. (1968). *The Concept of Organizational Climate, in* R. Taguiri et G.H. Litwin (Éd.). *Organizational Climate: explorations of a concept* (p. 11-35). Boston. Harvard Business School.

TANNENBAUM, S.I. et YUKL, G. (1992). Training and Development. *In* M.R. Rozenwerg et L.M. Portes (Éd.). *Annual Review Psychology* (vol. 43, p. 399-441). Palo Alto, CA: Annual Review Inc.

TAYLOR, W. et CANGEMI, J. (1979). Employee Theft and Organizational Climate. *Personnel Journal*. 58, 10, 686-696.

TEPSTRA, D.E., OLSON, P.D. et LOCKEMAN, B. (1982). The Effects of M.B.O. on Levels of Performance and Satisfaction among University Faculty. *Group and Organization Studies*, 7, 3, 353-366.

TOULOUSE, J.-M. et LESAGE, P. B. (1986). Comment mieux utiliser les sondages d'opinion auprès des employés. *Revue Gestion*, 11, 3, 29-35.

TRACEY, J.B. TANNENBAUM, S.I. et KAVANAGH, M.J. (1995). Applying Trained Skills on the Job: The Importance of Work Environment. *Journal of Applied Psychology*, 80, 2, 239-252.

TUCKER, J. (1993). Everyday Forms of Employee Resistance. *Sociological Forum*, 8, 1, 25-45.

TURCOTTE, P. et BERGERON, J.-L. (1984). *Les cercles de qualité.* Montréal: Les Éditions Agence d'ARC.

TURNER, C.-M. (1984). *Organization Climate: Fact or Fantasy.* University Microfilm International.

TURNSTALL, W.B. (1983). Cultural Transition at AT&T. *Sloan Management Review*, 25, 1, 15-26.

UNDERWOOD, J. (1965). Evaluation of Laboratory Method of Training. *Training Directors Journal.* 19, 34-40.

VAILLANCOURT, D. (1985*). Validation d'un questionnaire évaluant les habiletés du gestionnaire.* Université de Montréal. Thèse de doctorat inédite.

VALLERAND, R.S. et THILL, E.E. (1993). *Introduction à la psychologie de la motivation.* Laval: Études Vivantes.

VANDENBOS, G.R. et BULATAO, E. (1996). *Violence on the Job: Identifying Risks and Developping Solutions.* Washington: American Psychological Association.

VARDI, Y. et WIENER, Y. (1996). Misbehavior in Organizations. A Motivational Framework, *Organization Science*, 7, 2, 151-165.

VICTOR, B. et CULLEN, J.B. (1988). The Organizational Bases of Ethical Work Climates. *Administrative Science Quarterly*, 33, 101-125.

VON HALLER GILMER, B. et DECI, E.L. (1977). *Industrial and Organizational Psychology.* New York, McGraw-Hill.

WALLACH, E. J. (1983). Individuals and Organizations: the Cultural Match. *Training and Development Journal*, 37, 2, 28-36.

WEBER, G. (1971). *Inner-city Children can be Taugh to Read. Four Successful Schools.* Washington: Occasional Papers, 18.

WELSH, H.P. et La VAN, H. (1981). Inter-relationship Between Organizational Commitment and Job Characteristics, Job Satisfaction, Professional Behavior and Organizational Climate. *Human Relations*, 34, 12, 1079-1089.

WENS, R.G. (1970). *Organizational Behavior in Schools.* New Jersey: Prentice-Hall.

WIENER, Y. (1982). Commitment in Organizations: A Normative View, *Academic Management Review*, 7, 3, 418-428.

WILKINS, A.L. (1983). The Culture and Audit: A tool for Understanding Organizations. *Organizational Dynamics*, 12, 2, 24-38.

WILLIAMS, C.B. (1970). One to one Training of Top Management. *Training and Development Journal*, 24, 8, 40-41.

WIMBUSH, J.C. et SHEPARD, J.M. (1994). Toward an Understanding of Ethical Climate: its Relationship to Ethical Behavior and Supervisory Influence. *Journal of Business Ethics*, 13, 8, 637-647.

YONG, L.M.S. (1994). Managing Creative People. *Journal of Creative Behavior*, 29, 1, 14-21.

ZOHAR, D. (1980). Safety Climate in Industrial Organizations: Theoretical and Applied Implications. *Journal of Applied Psychology*, 65, 1, 96-102.

ZULTOWSKI, W.H., ARVEY, R.D. et DEWHERST, H.D. (1978). Moderating Effects of Organizational Climate on Relationships between Goal-setting Attributes and Employee Satisfaction. *Journal of Vocational Behavior*, 12, 2, 217-227.

Remerciements

Nous aimerions remercier tous ceux qui de près ou de loin nous ont aidés par leurs commentaires et leurs encouragements à la rédaction de ce livre.

Cet ouvrage synthèse est bien sûr le résultat des efforts des principaux auteurs, mais il est aussi le produit de plusieurs contributions qui s'étalent sur plus de 15 années, soit depuis la parution du livre de Luc Brunet en 1983, *Le Climat de travail*. Ces apports nous ont à la fois confortés dans la démarche entreprise à la fin des années 70 tout comme ils nous ont bousculés, nous forçant à recadrer certaines conceptions et croyances. Les épreuves empiriques, quasi expérimentales et conceptuelles, que ces collaborateurs ont infligées à nos conceptions initiales se sont avérées déterminantes dans la production du présent ouvrage. Nous ne pouvons que leur exprimer notre gratitude et notre estime.

Un remerciement tout particulier s'adresse à nos collaborateurs immédiats, notamment Mme Francine Roy (M.Ps.), directrice du Bureau de la gestion de la qualité à la Direction des ressources humaines à l'Université de Montréal. Au moment de ses études de deuxième cycle, Mme Roy a inventorié la documentation, conçu et validé un instrument de mesure du climat de travail. Sa contribution a marqué un point tournant dans notre conceptualisation et notre façon d'aborder le climat de travail. M. Christian Savoie (M.Ps.), actuellement psychologue industriel et organisationnel chez Bell Nordic, a réalisé durant ses études de maîtrise une seconde validation du modèle de Mme Roy et a confirmé la robustesse des dimensions composant cette mesure du climat de travail. M. Mélance Gahungu (Ph.D.) du Carrefour Jeunesse-Emploi de Côte-des-Neiges a effectué une mise à jour de la documentation qui a malheureusement confirmé le manque de recherches sérieuses publiées en ce domaine au cours de la dernière décennie. M. Jean Sébastien Boudrias (B.Ps.), doctorant en psychologie du travail et des organisations au Département de psychologie de l'Université de

Montréal, a bien voulu critiquer et charcuter la première version de cet ouvrage à l'été 1998. Nous sommes également redevables à M. Marc Thiébaud, consultant de Neuchâtel qui a expérimenté notre instrumentation dans son pays, la Suisse. Nous remercions Mme Micheline Goulet, qui a contribué à la mise en forme de cet ouvrage.

Finalement, nous tenons aussi à remercier les organisations et les institutions qui ont fait avancer nos connaissances en nous permettant d'effectuer des recherches dans leur environnement.

Liste des figures

Liste des tableaux

Index des sujets

A

absentéisme 25, 55, 58, 63, 79, 91-92, 127
abstractions 21
accident 88-90, 130
accomplissement 21, 30, 66, 89, 112, 115, 130-132
agression 76, 78-79
amitiés 147
antisociaux 47-49, 51, 77, 79, 83, 85, 205
anxiété 92, 123
application 17, 27, 48-49, 51, 75, 97, 100, 105, 142, 155, 165, 182-184
apprentissage 59, 69, 92-103, 106, 117, 191, 205
aptitudes 22, 75, 106, 113
assistance 120
atmosphère 16, 37-38, 41-42, 45, 63, 89, 115, 149
attentes 16, 22, 25, 57, 76, 96, 105, 115, 119, 190
attitudes 16, 18, 22, 25, 32, 41, 48-50, 56, 58, 63, 89, 92, 97, 101, 104-105, 110, 118, 129-132, 134-135, 141-143, 155, 157, 176, 182, 191
attributs 17-19, 23-25, 27, 38-39, 70-71, 128, 136, 203
autonomie 48-50, 55, 57, 72, 74, 86, 89, 99, 112, 125, 129-132, 134-135, 147-149, 151-152, 154-156
autoritaire-exploiteur 42
autoritaire-paternaliste 43

B

besoins 25, 42-44, 89, 96, 101, 111-112, 140, 142, 150, 167, 184
bien-être 35, 120, 153
bienveillance 46, 49-50
burn-out 122

C

cadres 42, 69, 73, 87, 99-100, 104-105, 108, 110, 160, 162
caractéristiques de la tâche 129-130, 132, 134-135
causales 32, 36, 53, 55-57, 145, 171, 173, 175, 177, 182, 204
causes 23, 53-54, 62, 81, 84, 88-89, 175, 190, 195
centralisation 60, 64, 130, 133, 150
chaleur 132, 135, 147
changements 16, 81, 90, 101, 105, 153, 161, 176, 178-182, 184, 186-187, 190-192, 204-206

225

Index des auteurs

IMPRIMÉ AU CANADA